O amigo e pastor Lisânias Moura , precisão teológica, aborda o tema lente do amor de Jesus e do discernimento baseado na Palavra Deus. Tal abordagem não estimula o preconceito, mas convida o leitor a uma pura e sincera "conversa com a sua alma".

ARMANDO BISPO
Pastor da Igreja Batista Central de Fortaleza (CE) e
mestre em Divindade.

No exercício do ministério pastoral, de modo especial na área de aconselhamento, sempre deparamos com assuntos difíceis de lidar. Com a publicação deste livro do pastor Lisânias Moura, teremos agora auxílio inestimável. O assunto nos foi apresentado sob diversos ângulos, o que facilita em muito nosso entendimento e nos prepara de forma segura e bíblica.

ENOS MOURA
Pastor na Igreja Presbiteriana Cidade Líder, em São Paulo (SP)
e ex-secretário geral do trabalho da Mocidade
da Igreja Presbiteriana do Brasil

Gostaria de parabenizar o autor pelo excelente trabalho apresentado neste livro. Creio que Deus muito o usará para a edificação, o ensino e o crescimento, visto que a obra versa sobre um tema tão difícil e com tão pouco material disponível. O autor utiliza neste livro uma abordagem extremamente clara, pastoral e didática. Nada como a alma de um pastor de verdade no cuidado com o rebanho!

HILDER STUTZ
Pastor sênior da Igreja Presbiteriana de Alphaville,
em São Paulo (SP)

Numa sociedade pluralista e ideologizada, é preciso coragem para abordar um tema tão polêmico como a homossexualidade. Lisânias Moura o aborda com base em sua experiência e compaixão pastoral e também com sua profundidade e honestidade teológica. Ele oferece respostas cristãs para o homoafetivo, mas também orienta seus pais e indica caminhos para as igrejas. Uma contribuição relevante para um tema que muitas vezes encontra silêncio ou radicalismo nas nossas igrejas.

Osmar Ludovico
Pastor da Comunidade de Jesus e escritor

Este livro traz muita luz e direção e irá abençoar muitos, porque o autor ama as pessoas e busca trazer à luz o que a Palavra de Deus diz. Muitos líderes religiosos repensarão o assunto por meio da voz de Lisânias.

Roselly Caldeira
Psicóloga, conferencista e terapeuta de casais e de família

Este é um livro realmente instigante. Traz a reflexão de como lidar com a homossexualidade, entre outros assuntos, à luz da Bíblia, de maneira simples e de fácil entendimento. Acredito que a obra será uma fonte poderosa no auxílio à discussão do tema em questão, do amor infinito de Deus, dos diversos exemplos do acolhimento de Jesus a todos e da demonstração da graça do Espírito Santo.

Sandra A. S. G. Oliveira
Educadora, palestrante e escritora

Habituamo-nos, no debate de temas polêmicos, à simplificação dos rótulos. Supomos que eles nos "protejam", que nos ofereçam "justificativas válidas" para nossa decisão de não ouvir quem possa pensar diferente. De forma respeitosa, sensível e honesta, dentro de sua perspectiva evangélica, o autor nos convida a considerar suas observações e conclusões sobre o tema. Considero esta obra uma importante contribuição para o estudo sério do tema em questão. Animo a que evitem os rótulos e façam uma boa leitura.

Ziel Machado
Pastor da Igreja Metodista-Livre Nikei e diretor acadêmico do Seminário Servo de Cristo, em São Paulo (SP)

LISÂNIAS MOURA

CRISTÃO HOMOAFETIVO?

UM OLHAR AMOROSO À LUZ DA BÍBLIA

Copyright © 2017 por Lisânias Moura
Publicado por Editora Mundo Cristão

Os textos das referências bíblicas foram extraídos da *Nova Versão Transformadora* (NVT), da Editora Mundo Cristão, salvo indicação específica. Usados com permissão da Tyndale House Publishers, Inc.

Todos os direitos reservados e protegidos pela Lei 9.610, de 19/02/1998.

É expressamente proibida a reprodução total ou parcial deste livro, por quaisquer meios (eletrônicos, mecânicos, fotográficos, gravação e outros), sem prévia autorização, por escrito, da editora.

CIP-Brasil. Catalogação na publicação
Sindicato Nacional dos Editores de Livros, RJ

M887c

    Moura, Lisânias

       Cristão homoafetivo? : um olhar amoroso à luz da Bíblia / Lisânias Moura. – 1. ed. – São Paulo : Mundo Cristão, 2017
       208 p.: il; 21 cm

      ISBN 978-85-433-0230-0

       1. Homossexualidade – Aspectos religiosos – Cristianismo. 2. Homossexualidade – Doutrina bíblica. I Título

17-39934   CDD: 261.83576
                                     CDU: 27-447

Categoria: Cristianismo e sociedade

Publicado no Brasil com todos os direitos reservados por:
Editora Mundo Cristão
Rua Antônio Carlos Tacconi, 79, São Paulo, SP, Brasil, CEP 04810-020
Telefone: (11) 2127-4147
www.mundocristao.com.br

1ª edição: junho de 2017
2ª reimpressão: 2017

A Deus, que um dia me resgatou. À minha esposa, Teca, que me encoraja, me inspira e me ama, sempre. A meus filhos, Daniel e Rafael, agentes de Deus para meu crescimento e também fonte de alegria e expectativas.

SUMÁRIO

Agradecimentos   9
Apresentação   11
Prefácio   15

Introdução   19

1. Homoafetividade à luz da Bíblia   27
Como Deus vê a homoafetividade?

2. Ser, sentir e fazer   53
O que está de fato errado com a homoafetividade?

3. Jesus e os excluídos   75
Como Cristo trataria um homoafetivo?

4. Sou cristão e sou *gay*, pode ser?   99
A tensão entre seguir Jesus e lidar com a própria homoafetividade

5. Meu filho é *gay*, o que eu faço?   127
Como os pais podem lidar com essa descoberta delicada?

8   Cristão homoafetivo?

6. Quando a igreja encontra o homoafetivo   151
Como a igreja pode refletir Jesus para quem luta
contra a cultura e a prática homossexual?

Conclusão – A esperança que Jesus oferece   171
Mantendo a decisão da escolha pela identidade em Cristo

E quando o pastor ou líder admite a homoafetividade?   181

Perguntas frequentes   189

Notas   197
Referências bibliográficas   203
Sobre o autor   207

AGRADECIMENTOS

A Deus toda a glória, gratidão e honra. Ele me chamou e, como fruto de sua graça, perdoou meus pecados e me deu uma vida interior que me satisfaz. A ele, minha gratidão por ter me dado uma esposa e filhos que me amam e me apoiam em dias bons e em dias difíceis.

Aos meus pais, Daniel e Bernadete, que já estão com o Senhor, por terem me criado no caminho da Palavra.

Ao meu irmão, Enos, que me introduziu ao ministério, e à minha irmã, Valéria, uma amorosa intercessora diária.

À Igreja Batista do Morumbi, minha querida igreja, que ama cada um da minha família e me desafia cada dia para amar a Deus e a cada um que ali chega do jeito que é.

Ao meu querido amigo e mentor, Dave Wyrtzen, e sua esposa, Mary, que ilustram para Teca e para mim o que é viver na base da graça. Sua vida influencia até hoje nossa família, nossa vida e nosso ministério.

À equipe da Mundo Cristão, especialmente a Renato e Silvia, que me desafiaram a escrever.

Ao editor Maurício Zágari, minha gratidão por ter me incentivado e pacientemente organizado este texto, que, sem sua ajuda, não teria saído do papel. Mais que um editor, um amigo e incentivador.

APRESENTAÇÃO

O assunto é nitroglicerina pura. No Brasil de hoje, juntar as palavras "igreja" e "homoafetivo" na mesma frase é um caminho fácil e rápido para o surgimento de polêmicas. A razão é simples: de um lado, os *gays* buscam cada vez mais seu espaço na sociedade, com a busca de reconhecimentos e benefícios que muitas vezes entram em choque com crenças elementares do cristianismo. De outro, a igreja busca preservar seus princípios milenares sem ter de se curvar às imposições da cultura midiática influenciada pela agenda da militância LGBT, que muitas vezes fere valores inegociáveis a qualquer cristão.

Em meio a tudo isso, várias perguntas pedem respostas que poderiam trazer paz a muitos. O problema é que tais respostas deveriam vir de líderes eclesiásticos e membros de igrejas que, no entanto, frequentemente não sabem lidar de forma bíblica e sadia com a questão da homoafetividade. Isso é fácil de constatar: se um travesti entra em uma igreja e senta-se para participar do culto, qual é a reação dos presentes? A realidade mostra que, provavelmente, haveria certo constrangimento no ar, junto com olhares tortos e sussurros por todo o santuário. Deveria ser assim? Ou deveria haver acolhimento, compaixão e amor? Fato é que o despreparo e a falta

12   Cristão homoafetivo?

de informações biblicamente equilibradas é grande e leva muitos a agir de modo antibíblico, apesar de bem-intencionado, na tentativa de agradar a Deus.

É no meio desse cenário de desentendimentos, conflitos e atritos entre cristãos e homoafetivos que Lisânias Moura apresenta pesquisas e reflexões construídas sobre o sólido terreno da ortodoxia teológica cristã, mas permeadas de doses maciças de graça. Sem jamais negociar a verdade bíblica, ele propõe caminhos de misericórdia para a convivência pacífica entre *gays* e a igreja. O autor segue, sem passar a mão na cabeça do pecado, o rigor bíblico com a prática homoafetiva, ao mesmo tempo que sublinha a possibilidade de pessoas com inclinações homoafetivas viverem plenamente uma vida de santidade em Cristo, como participantes do reino de Deus e herdeiros da salvação.

Nas próximas páginas, Lisânias cumpre fielmente sua proposta para esta obra, traduzida em suas palavras: "O alvo deste livro é refletir sobre o assunto da homoafetividade à luz da Bíblia e encorajar pessoas que lidam com a questão a procurar uma abordagem bíblica hermeneuticamente sadia ao interpretar o assunto — e, ao mesmo tempo, oferecer um caminho de esperança, em Cristo, para aqueles que lidam com a questão. E tudo isso permeado pela graça que Jesus oferece". Se essa era a intenção original do autor ao escrever esta obra, a Mundo Cristão fica feliz em constatar que ele alcançou esse objetivo.

Esta é uma obra indispensável para pastores, líderes eclesiásticos e membros de igrejas cristãs que procuram subsídios para saber lidar de maneira bíblica com a chegada à igreja de alguém que lhes diz: "Tenho inclinações homoafetivas, mas amo Jesus e o reconheço como meu Senhor e Salvador". Também é uma obra esclarecedora e libertadora para quem se diz cristão, mas tem sentimentos homoafetivos. Em suma, você tem em mãos um profundo, completo e bíblico manual sobre como lidar com a tensão entre a fé cristã e a homoafetividade.

O objetivo da Mundo Cristão ao publicar esta obra não é alimentar polêmicas. Pelo contrário, é trazer luz sobre esse assunto tão complexo, a fim de contribuir justamente para o fim das polêmicas. Desejamos que as palavras e as ideias contidas neste livro ajudem a semear mais amor, graça e misericórdia na tão ruidosa relação entre *gays* e a igreja, pacificando sem negociar verdades absolutas e gerando paz e consolo a muitos que se veem presos a pesados fardos para os quais parece não haver alívio. Mas, como este livro mostra, há. E o caminho é um só: Jesus Cristo.

Boa leitura!

Maurício Zágari
Editor

PREFÁCIO

Lembro-me de um amigo, zagueiro profissional de um time de futebol, que me confidenciou que seu técnico estudava a ficha médica dos jogadores do time adversário antes de cada jogo. Uma vez informado de uma lesão recente, avisava seus zagueiros para que se tivessem de dar uma entrada mais dura, aproveitassem a fraqueza ou a vulnerabilidade do adversário. Isso me faz pensar que se naquilo que é "o mais importante das coisas sem importância", ou seja, no futebol, um técnico chega a estudar quais são os pontos fracos do adversário, como então o inimigo de nossa alma não seria estratégico em seu ataque ao plano de Deus.

Família é central no plano divino. Não me refiro ao ideal tão divulgado nas últimas décadas do evangelicalismo: papai (de gravata), mamãe (sempre cuidando da casa), um filho (com uma bola na mão), uma filha (sempre de vestido) e um cachorro. Nessas ilustrações, todos estão sorrindo, como em uma propaganda de margarina, são gentis e saudáveis — em resumo, são a imagem do sucesso. Uma família assim pode até ser atraente, mas tem um problema: ela não existe! E a constante promoção deste ideal na igreja evangélica tem sido um dos maiores geradores de dor e frustração entre famílias de verdade.

16   Cristão homoafetivo?

Família é central no plano de Deus, pois ele é comunidade. Nunca houve um tempo em que Deus não fosse comunidade. Ele sempre existiu como Pai, Filho e Espírito. Um raciocínio muito simples nos faz ver a verdade desta afirmação: a Bíblia afirma que Deus é amor (1Jo 4.8,16), e amor não é algo que existe no vácuo, na individualidade. Para que haja amor, precisa haver o outro. Se Deus é amor e é imutável, ou seja, sempre foi amor, ele só podia amar tendo outro a quem amar.

Família é central no plano de Deus, pois parece ser a unidade básica de sua ação. Ele criou um indivíduo e logo afirmou que não era bom que ele estivesse só. Por essa razão, lhe deu uma esposa (Gn 2); ou seja, Deus não começou com um clã, uma tribo ou uma coletividade, mas com uma família. O conhecido texto de Gênesis 12.3 afirma que em Abraão seriam abençoadas todas as famílias da terra. Mesmo em uma leitura superficial, Deus promete um descendente que será o resgatador, e Satanás traça e executa um plano para destruir a família que um dia geraria esse resgatador. Pode-se dizer que Satanás odeia o conceito de família, tanto que desde o início busca intervir na unidade familiar.

Na família amamos, mas também odiamos. Na família uns se sacrificam pelos outros, mas também sacrificam os outros. Na família temos proteção, mas também opressão e mesmo exploração. O conceito de família reflete nossa característica humana de uma "gloriosa ruína". Gloriosa pois foi criada por Deus para ser a unidade básica, e ruína porque estamos sob ataque desde a criação, desde a queda.

Dentre os ataques mais catastróficos à família como plano de Deus, estão as distorções da sexualidade. Por ser tão poderosa e íntima, a sexualidade é um dos aspectos mais vulneráveis de nossa humanidade. Uma área capaz de tanto prazer e experiências de êxtase, ao mesmo tempo capaz de tanta dor, miséria e sofrimento. Nesse âmbito, a homossexualidade é um tema que não pode ser evitado. Defendida como uma realidade natural e, portanto, aceitável da sexualidade humana, a homossexualidade tem sido talvez um dos maiores dilemas modernos para a Igreja. Dilema por ser algo tão íntimo, tão poderoso e tão cercado de incompreensões.

Há não muitos anos, a prática homossexual era crime. Hoje, não só é defendida por lei, como há poderosos *lobbies* promovendo um extenso conjunto de leis de proteção ao homossexual. Embora sempre presente na humanidade, a homossexualidade passou por períodos de aceitação e rejeição sociais. A tradição judaico-cristã, no entanto, é praticamente unânime em entender que Deus reprova a prática da homossexualidade. Nas últimas décadas, no entanto, essa posição tem sido desafiada de modo cada vez mais vocal. Recentemente, ouvi um professor de um seminário renomado nos Estados Unidos defender que a oposição da Igreja evangélica à homossexualidade é semelhante à defesa da Igreja evangélica americana à escravidão negra e, portanto, deve ser revista.

Nos últimos anos, debrucei-me pessoalmente sobre o tema, levado por questões pastorais e de pessoas a quem amo. Li muito, estudei, conversei com pessoas que lidam com a homossexualidade na própria vida, em seus consultórios e famílias. Chorei com vários que, tendo sido atingidos por esse dilema, sentem-se aleijados em termos emocionais, relacionais e espirituais. Deparei com posturas simplistas pretendendo ser bíblicas e com posturas arrogantes pretendendo ser libertárias. Em resumo, é um tema que não gera neutralidade. Nesse contexto, era necessário um posicionamento pastoral e bíblico que, representando o caráter conservador da Igreja evangélica brasileira, pudesse tratar do tema com profundidade, sinceridade e com um forte viés prático pastoral. Fiquei muito feliz ao ouvir que meu amigo Lisânias Moura aceitou o difícil encargo de pôr no papel um posicionamento bíblico e pastoral sobre o tema.

Lisânias é um homem de convicções profundas, mescladas com um coração pastoral que sempre me estimulou a buscar copiá-lo. Ele não é estranho aos dilemas da homossexualidade, seja no contexto de famílias, da igreja ou de sua prática pastoral. Já tive conversas com Lisânias sobre situações difíceis relacionadas a esse e outros temas. Assim, fiquei feliz que ele tenha aceitado abordar o tema e ainda mais feliz com a obra que produziu.

O texto que você tem em mãos é profundo sem ser estéril. É amoroso sem evitar verdades difíceis. É prático sem ignorar a complexidade do tema. Com certeza não é um texto definitivo, visto que apenas a Bíblia pode ser vista como definitiva neste como em qualquer outro assunto, mas é um trabalho que pretendo utilizar com os líderes da igreja a que sirvo e com todos aqueles com quem tiver de trilhar esta jornada.

Leia com atenção, com o coração e a mente. Questione, investigue, não se satisfaça com o que lhe parecerem verdades superficiais. Sei que Lisânias não se abalaria com indagações ou mesmo confrontações. Sei do seu compromisso com a verdade e com o amor de Jesus.

Minha sincera oração é que este livro sirva de estímulo a que muitos que lutam com esse dilema busquem ajuda. Ao mesmo tempo, oro para que aqueles que aceitaram o chamado de cuidar dos que "nos foram confiados" aceitem também entrar nesta "escuridão" firmados na verdade expressa na Palavra e no amor que nos alcançou. Oro, por fim, para que, como igrejas, sejamos mais acolhedoras, sem deixar de ser ensinadoras; mais amorosas, sem deixar de ser verdadeiras; mais atraentes, sem deixar de ser transformadoras.

Ao Lisânias, meu — e, se posso ousar falar em nome da Igreja brasileira, nosso — muito obrigado por seu trabalho de amor e por sua firmeza.

DANIEL LIMA
Pastor da Igreja Batista do Conde, em Porto Alegre (RS)

INTRODUÇÃO

As características inerentes à cultura atual nos apresentam situações e desafios próprios. Mais do que nunca, o que importa hoje não é o certo, mas o que cada pessoa define como certo para sua vida. Porém, essa forma individualizada de determinar o que é correto afeta profundamente os relacionamentos interpessoais e a imagem que a pessoa tem de si, porque pouco importa se o que for bom para ela não for para o outro. O importante nesse tipo de pensamento é a realização pessoal, mesmo à custa de perdas e dor para o outro.

Assim, o senso comum prega que ser feliz é o que importa. E, de acordo com esse lema, se coisas como embriagar-se, drogar-se ou faturar ilicitamente trouxerem felicidade, vá em frente! Esse hedonismo está integrado à crença e à prática de diversos grupos sociais, em especial daqueles que abraçam a causa da homoafetividade ou se definem como homossexuais.

Quando uma pessoa adota completamente a agenda do movimento LGBT, de certa forma pode até viver feliz. No entanto, viver a homoafetividade traz muitas vezes angústia e sentimentos de rejeição. A família sofre. A igreja, se a pessoa faz parte de uma, sofre. Isso porque, como veremos mais adiante, a família e a igreja nunca estão de fato preparadas para ouvir declarações homoafetivas da parte de seus filhos e membros. Quando isso acontece, é necessário trilhar um longo e desértico caminho de aprendizado, aceitação e resolução. Um caminho, ressalte-se, que nem sempre é livre de dores.

Por trás da alegria *gay*, ninguém nega que há sofrimento.

Este livro trata do que a Bíblia diz sobre homoafetividade. No entanto, não pretendo dar a palavra final sobre o assunto. O alvo primário desta obra é olhar para a homoafetividade pela ótica bíblica, apontando um caminho de esperança não somente para aqueles que lidam com sentimentos homoafetivos, mas para sua família e para igrejas que querem refletir Cristo.

A Bíblia deixa claro que o amor de Jesus não depende de cor, nível social, escolaridade e, muito menos, orientação sexual. Cristo quer dar a todos vida plena e abundante no mais amplo sentido da palavra, a despeito de qualquer circunstância. Assim, desejo encorajar cada um a descobrir essa vida que Jesus oferece e que só existe quando há um relacionamento pessoal e íntimo com ele. E, para ajudar você, peço-lhe que complete a caminhada descrita neste livro. Etapa a etapa, as peças serão unidas de modo a alcançar, no final dela, unidade de sentido.

Você imaginaria que um dia um *tsunami* arrasaria sua casa ou que o fogo poderia consumi-la? Há certas experiências da vida que nunca cogitamos enfrentar. Pensamos que são exclusividade dos outros. Muitos, porém, passarão por experiências inesperadas, desafiadoras e por vezes aterrorizantes. Mas mesmo essas podem se transformar em marcas da graça de Deus. Veja o exemplo de Roberto e Rose.

Ambos eram filhos de casais que se amavam e amavam a família. Roberto era o caçula e via o pai tratar os filhos de maneira muito firme e amorosa. Como todos os seus irmãos se casaram no início da vida adulta, Roberto desfrutou por mais de quatro anos da atenção especial dos pais. Durante esse período, ele viveu como filho único, o que lhe permitiu perceber melhor como o pai tratava a mãe, uma verdadeira heroína. Ela trabalhava oito horas por dia em uma loja de confecções e, quando chegava em casa, dividia o trabalho doméstico com o marido, preparava o jantar da família e ainda reservava tempo para compartilhar com os filhos princípios da Palavra de Deus.

Até se casar, Roberto desfrutava de um tempo a sós com o pai pelo menos duas vezes por mês. Eram momentos dedicados a atividades como leitura da Bíblia, oração, pesca e longos diálogos. Casamento era sempre um tema recorrente nessas conversas, especialmente depois que Roberto ficou noivo de Rose, a mulher com quem ele sempre sonhara: bonita, inteligente, vívida, com gostos semelhantes ao dele e, acima de tudo, alguém que amava a Jesus.

Rose vinha de um lar que se poderia chamar de cristão, mas com certos problemas. Os negócios do pai faliram em decorrência de mau uso ou desvio de dinheiro, e o longo tempo de recuperação da empresa foi difícil para a família. A igreja que frequentavam reagiu de maneira fantástica. Fez-se presente, encorajando e prestando ajuda financeira. A família original de Rose era conhecida como um núcleo em que todos se amavam, e a dificuldade financeira havia aprofundado ainda mais o amor mútuo que já expressavam dentro e fora de casa. Mas algo pior que a falência dos negócios estava por vir.

Roberto e Rose se casaram e viveram em paz por muitos anos. Porém, certo dia tiveram de enfrentar uma situação tumultuada. Quase no final do processo de recuperação financeira, o pai de Rose reuniu a família para dizer que tinha um filho fora do casamento. Se naquele momento o sentimento era o de estarem enfrentando uma marola, por terem superado as dificuldades financeiras mais graves, de repente passaram a viver um *tsunami*. Embora os anos de recuperação da bancarrota tivessem sido difíceis, a notícia inesperada abalou de modo devastador a estrutura familiar.

Nesse ínterim, a família de Roberto também enfrentava algo muito difícil. O irmão mais velho dele reunira a família para anunciar seu divórcio e comunicar que, havia algum tempo, estava vivendo com outro homem como seu parceiro afetivo.

Roberto e Rose tiveram de enfrentar, perplexos e impotentes, essa situação duplamente difícil. Como lidar com tais situações? Eles pareciam não encontrar a resposta.

Ao mesmo tempo, outra pergunta os assolava: como duas famílias que se diziam seguidoras de Jesus, que tiveram experiências significativas com Deus, podiam estar vivendo situações como aquelas? Seria Deus injusto ou estaria ele castigando-os? Eram perguntas difíceis e, claro, muito dolorosas, diante do desapontamento e das expectativas frustradas. As revelações geraram não somente questionamentos e dores, mas vergonha e insegurança. Vergonha diante dos fatos que vinham à tona e insegurança de que talvez já não fossem amados como antes.

A igreja que as famílias de Roberto e Rose frequentavam também sentiu o impacto das revelações. Na época, o irmão de Roberto era líder do ministério com casais jovens. Por sete anos, havia dirigido retiros de casais, estudos bíblicos sobre casamento, aconselhado casais na iminência do divórcio. O pai de Rose, por sua vez, era líder dos diáconos.

Aqueles acontecimentos suscitaram perguntas delicadas e difíceis nas pessoas que caminhavam com esses líderes. Será que o ensino deles era realmente verdade? Será que sua liderança se caracterizara pelo blefe enquanto, conscientemente, mantinham uma vida dupla?

No seio da igreja as notícias foram chegando como uma bomba. As emoções afloraram. De um lado, havia aqueles que diziam: "Crucifique-os!". Sim, a ira surge em um contexto como esse. Quem os tinha como modelo se encheu de indignação. Havia um sentimento de traição e, na visão daquelas pessoas, quem trai merece ser punido, sem possibilidade de perdão ou reconciliação. "Eles mancharam o nome da igreja na cidade", diziam alguns. Era a ira por terem presenciado a queda de seus líderes e por não conseguirem controlar a decepção. Decepção essa que se havia misturado à indignação, à mágoa e à vontade de fazer justiça com as próprias mãos.

Por outro lado, mesmo sentindo-se traídos, muitos preferiram calar, por enfrentarem problemas semelhantes. Alguns lidavam com sentimentos homoafetivos e optaram por continuar a manter sigilo, uma vez que a multidão da igreja poderia voltar-se contra eles, como ocorrera em relação ao irmão de Roberto. Para alguns, esconder trazia segurança, mesmo que falsa. Nesse grupo, embora ninguém chegasse a ter um filho fora do casamento, alguns haviam "pulado a cerca". Então, consideraram melhor calar-se, pois estavam "debaixo do mesmo teto". Uma tomada de posição seria um tiro no pé.

Havia ainda um terceiro grupo, minoritário e silencioso. Eram pessoas que faziam perguntas cruciais: "Alguém poderia ter impedido o ocorrido?"; "E agora que aconteceu, como ajudar?"; "E se fosse comigo, como eu gostaria de ser tratado?".

Roberto e Rose assistiam a essa situação dramática com dor no coração. As famílias estavam doentes e precisavam de ajuda. A igreja também estava doente, e uma igreja doente não sabe como expressar graça. Por isso, sente-se impelida a punir.

E você? Se você fosse o pastor dessa igreja, como lidaria com o caos reinante? Se você fosse Roberto, como trataria seu irmão? Se fosse a mãe de Rose, como trataria o marido?

Roberto e Rose nunca imaginaram que um dia lidariam com aquele tipo de problema. A igreja, muito menos. Pressionada para manter a imagem de disciplinadora e de não "dar moleza para o pecado", excluiu da comunhão o pai de Rose e o irmão de Roberto. Envergonhada, toda a família do irmão de Roberto — a esposa, os pais e tios dela — deixou a igreja. Afinal, eles eram a família que tinha um problema. Entre eles, havia um homoafetivo, que trocara a esposa por um homem.

Por ser um dos líderes da igreja, o pai de Rose foi acusado publicamente de adultério, mesmo sem estar presente. A congregação foi informada de que ele estava sendo destituído da

24   Cristão homoafetivo?

liderança do diaconato e do rol de membros da igreja. Rose, então, preferiu deixar de congregar ali. Como ela mesma disse: "Preciso de um tempo para me recuperar. Um pai adúltero e um cunhado homoafetivo corroeram minha mente".

O mais interessante é que, em toda essa história *tsunâmica*, ninguém fez a primeira pergunta que todo cristão deve fazer a si mesmo: *Como Jesus agiria?* Nunca é fácil para uma pessoa, uma família ou uma igreja lidar com situações como divórcio, recasamento, adultério e homoafetividade, entre outros tipos de problema. E a questão se torna ainda mais grave quando a família esconde a situação ou quando a igreja que nunca precisou lidar com problema semelhante se vê obrigada a fazê-lo.

Em nossa história, não só o irmão de Roberto e sua família precisavam de ajuda. Eles mesmos precisaram ajudar, pois todos sofreram com o ocorrido, e o sofrimento pode ser maior ainda se a igreja não tratar a questão de forma bíblica. Muitas vezes a dureza destrói. E, ao destruir, impede a restauração. Porque, do ponto de vista bíblico, firmeza sempre precisa ser permeada por graça. Firmeza sem graça produz legalismo e soberba.

A maneira de demonstrar firmeza e graça é um dos grandes desafios que famílias e igrejas precisam enfrentar quando lidam com temas como a homoafetividade. Até porque essa questão nem sempre surge isolada: outros problemas vêm a reboque. Mas, em virtude do contexto da sociedade atual, que lida com o valor da liberdade sexual de modo incorreto, famílias e igrejas vivem carentes de uma abordagem corajosa, humilde, firme e amorosa quando o assunto é homoafetividade.

Uma primeira reação hostil ou fria contra o pecado pode impedir a restauração daqueles que desejam e precisam ser restaurados. Em contrapartida, uma atitude de acolhimento sem respaldo bíblico pode gerar leniência com o pecado. Surge então a dúvida: existe uma receita única para conduzir tanto a família como a igreja aos mesmos resultados? Com certeza não. No entanto, há uma pergunta que *sempre* deve ser feita: *Como Jesus agiria?*

Neste livro, portanto, não pretendemos prescrever nenhuma receita. Tampouco dar a palavra final sobre o tema. Nosso objetivo é discutir o significado de textos bíblicos que tratam da questão da homoafetividade e sua aplicação contemporânea e, com base neles, sugerir a indivíduos, famílias e igrejas como lidar com o desafio da homoafetividade, nos dias de hoje, quando a sociedade e a mídia procuram tornar a prática homoafetiva comum, aceitável e bonita, em oposição ao que a Bíblia ensina.

Deus traçou o caminho da sexualidade sadia, a fim de que a pessoa seja satisfeita com suas características de indivíduo sexual. Ele aponta para as consequências da sexualidade vivida fora dos parâmetros que estabeleceu. Quando alguém foge desses parâmetros, sofre. Um sofrimento que Deus, como Pai, não gostaria que seus filhos enfrentassem.

Ao longo das próximas páginas, procuraremos pensar, juntos, em como Jesus trataria indivíduos com a questão homoafetiva e como famílias e igrejas podem refletir a atitude de Cristo. Nosso foco estará na firmeza e na graça de Deus ao lidar com esse tema tão delicado.

Roberto e seu irmão, Rose e seu pai, as respectivas famílias e a igreja à qual pertenciam nunca imaginaram que enfrentariam um problema como esse, que teriam de lidar com a confusão e a dureza de coração. Mas, apesar dos muitos questionamentos em situações como as vividas por essas famílias, existe, sim, esperança — uma esperança que o amoroso Senhor Jesus Cristo quer prover. Ele sempre tem a forma certa de intervir, ajudar e transformar tempestades em paz.

Em Jesus sempre há direção e liberdade, disponibilizadas no tempo dele. Cristo, nossa esperança, não desaponta (Rm 5.5).

Deus o abençoe nesta leitura.

1 HOMOAFETIVIDADE À LUZ DA BÍBLIA

Como Deus vê a homoafetividade?

"Deus me fez assim. Como posso mudar?" Essa foi a primeira reação de Cláudio, irmão de Roberto, quando um amigo próximo soube da revelação e procurou-o para uma conversa. Essa é uma reação natural quando pessoas homoafetivas "saem do armário", como se costuma dizer, especialmente se pertencem a uma igreja ou se dizem ser seguidoras de Jesus. E que bom que saíram do armário! Porque no armário elas não têm como lidar com a situação, os conflitos e as dores.

Então, quando Cláudio aceitou o convite para conversar com um pastor que não era da igreja a que ele pertencia, precisou lidar com uma pergunta delicada: "Você sabe o que a Bíblia fala sobre homoafetividade?". A resposta foi difícil para Cláudio. Pessoas homoafetivas que se dizem seguidoras de Cristo vivem num eterno conflito entre sentimentos e razão. Sentem a inclinação homoafetiva e, ao mesmo tempo, racionalizam esse sentimento com estranheza. E, quando precisam lidar com o que a Bíblia diz, se veem ameaçadas, acuadas, rejeitadas. Pior que isso, se sentem culpadas. Algumas preferem reinterpretar certos textos bíblicos, afirmando que a Bíblia não é para hoje ou mesmo alegando que,

Cristão homoafetivo?

como Deus é amor, se duas pessoas do mesmo sexo se amam, isso é o que importa.

Jesus não quer acuar nem ameaçar ninguém. Mas, ao mesmo tempo, ele também precisa falar. E devemos escutar o que o Senhor diz, por intermédio da Bíblia, sobre a homoafetividade.

Homem e mulher os criou (Gn 1.26-27; 2.24)

Deus criou os dois seres humanos depois de ter criado céu, terra, aves, peixes, plantas e tudo mais. Ele criou a humanidade por meio de dois seres iguais e diferentes. Iguais porque, criados à imagem e semelhança de Deus, homem e mulher carregam igualmente traços divinos, como criatividade, raciocínio, bondade e afetividade. Eles refletem a Trindade. E por isso também são diferentes, pois, embora Pai, Filho e Espírito Santo sejam iguais, apresentam particularidades entre si e, mesmo sendo um ser único, possuem identidade independente. Os integrantes da Trindade complementam-se em seus papéis e responsabilidades, e assim também ocorre com o homem e a mulher, por terem sido criados a essa imagem e semelhança.

Quando o relato bíblico descreve a criação do homem e da mulher, a questão da sexualidade aparece como extensão do sentido que permeou o restante da criação: Deus criou a humanidade como dois seres ao mesmo tempo diferentes e iguais, a fim de se completarem. Como a Trindade.

Homem e mulher têm em comum, entre outras coisas, coração, fígado, rins, capacidade criativa, possibilidade de amar e de servir. Mas homem não tem útero, e mulher não tem próstata. Mais que isso: embora homem e mulher tenham cérebro, sejam seres inteligentes e com iniciativa própria, sua abordagem da vida é diferente.

O fato é que as particularidades que diferenciam homem e mulher refletem a Trindade, em sua maneira de ser e de se relacionar. Quando Deus expressa que não é bom para o homem estar sozinho, ele não cria outro homem para Adão. O Senhor bem que poderia ter feito isso, e esse outro homem poderia ter sido criado com a capacidade de gestar uma criança. Mas não é essa a decisão do Senhor: ele cria um ser diferente do homem, que sai de dentro do próprio homem e que o completa inteiramente. Esse novo ser, a mulher, é para o homem quem o ajuda e o completa.[1]

A forma como Deus criou e trouxe a mulher para o homem é uma afirmação de que aquilo que o homem precisa para suprir sua necessidade vem de alguém que o compreende porque saiu de dentro dele. Quem não saiu de dentro do homem não tem a constituição necessária para satisfazê-lo afetivamente. Quando a questão é sexualidade, apenas a mulher preenche o que o homem precisa, e vice-versa. Sexo não é tudo no casamento, mas a sexualidade e a afetividade do casamento são potencializadas quando vividas por dois seres diferentes, e não por dois seres iguais. Portanto, a começar pela maneira como Deus criou o homem e a mulher, o plano divino para as relações íntimas e sexuais da humanidade está firmado entre dois seres diferentes, macho e fêmea.

Assim, quando Deus estabelece o casamento, o faz com base no conceito de criação do homem e da mulher: iguais e, ao mesmo tempo, diferentes e complementares. Então Deus diz: "Por isso o homem deixa pai e mãe e se une à sua mulher, e os dois se tornam um só" (Gn 2.24). O relacionamento afetivo criado por Deus no contexto do casamento é entre macho e fêmea, entre um homem e uma mulher.

A essa altura, Deus ainda não fala nada sobre homoafetividade. Ele está apenas estabelecendo seu plano para o relacionamento afetivo entre homem e mulher como dois seres diferentes que se complementam, se ajudam e compartilham a vida sexual. Quando uma pessoa vive com outra do mesmo sexo como casal fere o conceito e o modelo de casamento criado por Deus. Deixam de desfrutar um dos traços mais especiais que ele planejou para a vivência a dois: o homem precisa da sensibilidade feminina, e a mulher precisa da firmeza masculina. Eles perdem esse potencial singular que Deus criou na diferença entre sexos. Perdem, enfim, todo o potencial de penetração de um na alma do outro, da intimidade de uma só carne que vai além do sexo, mas que inclui profundamente o sexo.

A homoafetividade, portanto, violenta a essência das relações, o que faz surgir o desconforto nesse tipo de relacionamento, por mais que o homem ou a mulher queira justificar um relacionamento matrimonial entre iguais.

A história de Sodoma e Gomorra (Gn 19.4-11)

Esse relato é crucial para compreendermos o que a Bíblia diz, nas primeiras páginas, sobre a homoafetividade e como Deus lida com ela. Àquela altura da narrativa da trajetória da humanidade e da graça de Deus, o mundo corrompido já havia passado por um dilúvio, como consequência do pecado. A imoralidade sexual, que já havia permeado profundamente o mundo pré-diluviano, continuava fortemente atuante nas cidades de Sodoma e Gomorra. As águas enviadas por Deus não tinham dado fim a esse problema.

Dois anjos, tomando a forma de homens, chamaram a atenção de "todos os homens de Sodoma, jovens e velhos" (Gn 19.4). A corrupção moral na cidade era generalizada, em termos de gênero e idade. Creio que o texto não quer dizer que todos os homens em Sodoma e Gomorra tinham atração pelo mesmo sexo, mas se tratava de um comportamento característico da população da cidade.

Ló recebeu ordem de entregar os homens hospedados em sua casa, a fim de serem violentados pela população local. Os habitantes de Sodoma já haviam sido descritos, em Gênesis 13.13, como um povo "extremamente perverso e vivia pecando contra o SENHOR". E essa descrição será profundamente ilustrada na experiência de Ló e seus convidados com os homens daquela cidade. Eles eram maus, corruptos, imorais.[2] E, por serem assim, dizem claramente: "Traga-os aqui fora para nós, para que tenhamos relações com eles!" (Gn 19.5).

Alguns comentaristas e mesmo simpatizantes do movimento LGBT gostam de afirmar que a questão aqui não está relacionada com a homoafetividade, mas sim com a hospitalidade, um dos valores mais significativos daquela época, com certeza. Por isso, Ló teria insistido em proteger seus convidados, a ponto de oferecer as próprias filhas para que os homens de Sodoma e Gomorra tivessem seus instintos apaziguados.

Na verdade, um dos pontos mais graves do texto não é apenas a questão da homoafetividade em si, mas a da perversa indelicadeza dos homens da cidade em cercar a casa de Ló e insistir em ter relações com seus visitantes. Foi um ato de violência inconcebível.

Portanto, embora no relato da criação e do estabelecimento do casamento nenhuma menção seja feita à homoafetividade ou à sua proibição — há apenas histórias que nos sugerem que Deus não se agrada disso —, é a partir de Gênesis 13 que Deus deixa claro que ele condena a prática homossexual.

O mesmo ocorre com Juízes 19. O fato é bem semelhante à experiência de Ló com seus hóspedes. A tentativa de uma relação sexual entre homens, um estupro masculino coletivo, revela a iniquidade do coração do ser humano nesse contexto da história de Israel após a entrada na terra prometida.[3] Nas duas situações relatadas, a iniquidade revela-se de forma horrenda, mostrando que a prática homoafetiva é mais valorizada que a proteção à mulher. A relação de igualdade que Deus estabeleceu ao criar o ser humano é violentada por causa de desejos desenfreados do homem, que chega a extrapolar seus limites ao tratar a mulher como mero objeto.

A homoafetividade está associada a outros problemas resultantes da queda da humanidade que afetam o conceito original da criação. Imoralidade sexual, homoafetividade e violência — seja contra o homem, seja contra a mulher — andam juntas.

Gênesis 19 e Juízes 19 apontam que a sexualidade entre o povo de Israel estava desviada da vontade original de Deus. A mentalidade sexual pervertida dos povos vizinhos havia contaminado o povo de Deus, e não apenas na questão da homoafetividade. Associações eram evidentes, em aspectos como arrogância, violência, idolatria, perversão, lascívia e desrespeito ao ser humano. Tudo fazia parte da cultura da época.

Seria diferente hoje?

Deus menciona Sodoma e Gomorra de modo depreciativo em Ezequiel 16.49-50. Ele acusa as cidades não só pela imoralidade, mas também pela atitude orgulhosa de seus habitantes, pelo desrespeito ao pobre e pela transgressão de outros valores que Deus aprecia.

Ainda que se queira apontar como falta de hospitalidade o problema em Sodoma e Gomorra, a imoralidade é parte das razões de Deus para castigar aquelas cidades.

Quando Deus detesta (Lv 18.22; 20.13)

A conversa de Cláudio, irmão de Roberto, com seu pastor começa a apontar para um direcionamento a respeito da homoafetividade com a explicação do significado de dois textos bíblicos: "Não pratique a homossexualidade, tendo relações sexuais com outro homem como se fosse com uma mulher. Isso é detestável" (Lv 18.22) e "Se um homem adotar práticas homossexuais e tiver relações sexuais com outro homem como se fosse com uma mulher, os dois cometem um ato detestável e serão executados; decretaram a própria morte" (Lv 20.13).

O irmão de Roberto precisava saber o que Deus tem a dizer sobre o que ele estava enfrentando. Precisava da graça, mas também da firmeza amorosa de Deus. A homoafetividade demanda lidar com vários sentimentos — como desconforto, angústia, culpa e raiva. Mas não só sentimentos; é preciso lançar mão da racionalidade, a fim de entender o que a Bíblia diz. Esse é o caminho se quisermos ser honestos conosco e com aqueles que lidam com a questão.

Deus, em sua firmeza e graça, fornece parâmetros para que possamos aconselhar, ajudar e corrigir problemas que afetam o ser humano. E não é diferente com a homoafetividade. Ao estabelecer normas para uma sexualidade sadia, Deus não quer destruir a pessoa com inclinações homoafetivas nem afastá-la dele, tampouco deseja inseri-la num inferno emocional. Pelo contrário, seu desejo é protegê-la de um caminho que pode destruir sua alma e tirar seu gosto pela vida.

No entanto, Deus não se refere unicamente à homoafetividade quando trata de sexualidade, mas também a problemas como incesto e adultério, isto é, qualquer relação sexual ilícita que traga dor ao ser humano e o agrida no quesito imagem e semelhança do Senhor.

Deus nunca escondeu seu desapontamento com essas práticas. A Bíblia está repleta de histórias de pessoas amadas por Deus que cometeram erros, mas que foram restauradas pela graça divina. Levítico, portanto, estabelece uma série de mandamentos para o povo israelita, não como ordenanças condenatórias, mas protetoras. Os capítulos 18 e 20 tratam da idolatria, dos problemas no casamento e da destruição do valor pessoal em decorrência de uma vida sexual desregrada. Seu propósito é mostrar o caminho para uma vida sadia do ponto de vista físico, emocional e espiritual.

O foco de Deus em Levítico 18 e 20 é unicamente libertar os israelitas dos padrões destruidores da sexualidade adotados pelos povos vizinhos de Israel (incesto e adultério entre sogro e nora, cunhado e cunhada, padrastos e enteados eram comuns), livrando-os, assim, de uma vida de escravidão moral. Adultério, incesto e homoafetividade escravizam pessoas, e Deus quer que seus filhos sejam livres, inclusive para viver uma sexualidade destituída de tabus. Seu objetivo é que essa liberdade traga prazer genuíno. Por isso ele diz: "Não imitem o estilo de vida deles. Obedeçam aos meus estatutos e cumpram os meus decretos, pois eu sou o Senhor, seu Deus" (Lv 18.3-4).

Observe bem este trecho: "eu sou o Senhor, seu Deus". A afirmação se contrapõe ao fato de a imoralidade sexual se

34   Cristão homoafetivo?

tornar um deus. Muitos a veem como sua única fonte de prazer contínuo, "sem a qual não podem viver". Isso nada mais é que um símbolo de idolatria. A imoralidade sexual, portanto, quando não tratada, impede que a pessoa experimente a boa, perfeita e agradável vontade de Deus nessa área, pois só oferecemos um culto real ao Deus verdadeiro quando estamos livres da idolatria.

Deus deseja guiar seu povo para uma vida de santidade, em contraste com o estilo de vida do mundo da época: "Não tenha relações sexuais com nenhuma das esposas de seu pai, pois isso desonraria seu pai" (Lv 18.8); "Não tenha relações sexuais com sua neta, filha de seu filho ou de sua filha, pois com isso você desonraria a si mesmo" (Lv 18.10). Esses dois versículos ilustram com muita propriedade por que Deus estabeleceu parâmetros para a vida sexual do seu povo.

É importante notar a motivação de Deus. Por constituírem uma afronta à sua santidade, essas práticas imorais, por si sós, já seriam condenáveis. Em ambos os versículos ele poderia ter dito simplesmente "porque essas práticas são pecado". Mas, ao mencionar "pois isso desonraria" e "com isso você desonraria", ele demonstra cuidado com seu povo. Deus quer que seu povo viva de modo honrado. Mais ainda: quando a santidade de Deus é honrada em nossas práticas, o próprio ser humano é beneficiado.

Ao estudar Levítico 18 e 20, é muito importante manter em perspectiva que o interesse de Deus é incutir em seu povo um estilo de vida puro, livre de idolatria e que agrade a seu Senhor, e não que satisfaça apenas os apetites desenfreados da carne. Quando tais desejos não são transformados, a imoralidade se torna um deus que consome, violenta, mata e destrói. E Cláudio ainda não havia atinado para o perigo que estava correndo. Por causa disso, esses textos de Levítico caíram-lhe como um bomba.

É nesse contexto de apontar para a santidade e procurar o bem-estar do ser humano que Deus interrompe as narrativas históricas e traz pela primeira vez sua direção objetiva e clara sobre o tema da sexualidade, ordenando: "Não pratique a homossexualidade, tendo relações sexuais com outro homem como se fosse com uma mulher. Isso é detestável" (Lv 18.22). Deus usa o imperativo; dá uma ordem.

Mais uma vez o Senhor poderia ter simplesmente encerrado o versículo com a ordem, mas ele vai além e a explica: deitar com outro homem como se faz com uma mulher é algo detestável para Deus.[4] O ato fere o que o Senhor planejou em termos de sexualidade para o homem e a mulher. Mas também é detestável por se tratar de um tipo de idolatria, algo igualmente abominável e repugnante para Deus (v. Dt 7.25).

Ao resolver deitar-se com outra pessoa do mesmo gênero, o ser humano não só ofende a Deus, mas opta por adorar a si mesmo, em vez de ao Senhor. E, se adorar significa obedecer, a desobediência à ordenança de Levítico 18 significa que não estamos adorando a Deus, mas a nós mesmos, fazendo prevalecer o pecado da idolatria, que é detestável ao Senhor.

A prática homossexual pode não parecer detestável a alguns olhos humanos, mas é, como vimos, aos olhos divinos. Por isso tal prática está sujeita à disciplina de Deus, como fica evidente nas palavras que Moisés dirige aos israelitas: "Por isso, não contaminem a terra e não lhe deem motivo para vomitá-los, como fará com os povos que agora vivem ali. Quem cometer algum desses pecados detestáveis será eliminado do meio do povo" (Lv 18.28-29). A disciplina de Deus podia acarretar inclusive a expulsão do povo da terra que ele havia prometido dar-lhes.

Deus relembra ao seu povo que os habitantes anteriores de Canaã praticaram aquelas abominações e, por isso, foram "vomitados", ou expulsos, daquela terra. Esse é o sentido do verbo "vomitar" usado por Moisés. A abominação não se restringia apenas ao que era mau cerimonialmente. Práticas abomináveis como incesto, adultério e homoafetividade são inerentemente más e, por isso, Deus exerce juízo sobre os que as praticam (Lv 20.13). Isso faz parte da chamada Lei moral.

36   Cristão homoafetivo?

Como o adultério entra no mesmo contexto da homoafetividade em Levítico 18 e 20, fica claro que o âmago dos problemas da sexualidade afeta o conceito da criação de Deus e o de sua santidade. A relação afetiva (e sexual) entre homem e mulher é tão especial para Deus que, quando o conceito de casamento é violado, seja pelo adultério, seja pela homoafetividade, o Senhor é muito direto em expressar seu descontentamento com a desobediência do ser humano.

É importante observar, contudo, que a homoafetividade não é um pecado maior ou mais grave que os demais. Não existe nada na Bíblia que dê respaldo a esse pensamento. Deus abomina e condena a homoafetividade tanto quanto o adultério, o incesto, a violência, o sacrifício de crianças, a bestialidade (Lv 18), o assassinato (Jr 7.9), o falso testemunho (Pv 25.18), o orgulho, a glutonaria, a preguiça, a imposição de sofrimento aos pobres e necessitados, o desprezo a pais e mães, e a opressão a órfãos e viúvas (Ez 16.47-52; 18.7,12,16; 22.7,29). Ou seja, todos são pecados e, por isso, Deus os condena com a mesma intensidade. No entanto, o Senhor estabeleceu um padrão para o casamento e, nos tempos do Antigo Testamento, quando essa aliança era adulterada, a punição era a morte: "... os dois cometem um ato detestável e serão executados; decretaram a própria morte" (Lv 20.13).

É importante ter em mente que a execução era um tipo de punição comum nas culturas antigas, nas quais a nação de Israel estava inserida. Hoje, seria anormal punir com a pena de morte a prática da homoafetividade e do adultério, por exemplo. Em alguns países, especialmente muçulmanos, isso existe, mas a Nova Aliança de Cristo não respalda esse tipo de punição em nossos dias.

Neste ponto, é natural que surjam duas perguntas: "Como pode um Deus amoroso tratar uma pessoa dessa forma?" e "Se Jesus veio para nos libertar da Lei, o que está escrito no Antigo Testamento vale ainda para hoje?". A primeira pergunta será respondida no capítulo 4. Já a segunda foi justamente o questionamento de Cláudio, irmão de Roberto, a seu pastor: "Como já não estamos debaixo da Lei, Deus não trata mais a homoafetividade como algo detestável. Estou certo?".

A pergunta revela um aspecto interessante da questão: se a experiência homoafetiva de Cláudio não o incomodasse, ele não a teria formulado, pois já seria algo resolvido. A iniciativa de ter essa conversa não partiu do pastor, mas de Cláudio. Além disso, se não estar mais debaixo da Lei significa abolir tudo o que ela impôs, todos os parâmetros estabelecidos por Deus por meio dela teriam sido abolidos. Mas a Bíblia deixa claro que isso não é fato. Jesus mesmo disse: "Não pensem que eu vim abolir a lei de Moisés ou os escritos dos profetas; vim cumpri-los" (Mt 5.17).

Aqueles que advogam a homoafetividade como uma prática normal mesmo entre cristãos partem do princípio de que a Lei foi abolida em Cristo e, com isso, já não estamos sob sua autoridade, logo a proibição veterotestamentária da homoafetividade teria deixado de existir a partir da morte de Cristo. Esse argumento, no entanto, não poderia ser mais equivocado, e para entender isso precisamos saber o que exatamente foi abolido em Cristo e o que continua em vigor no que se refere à Lei.[5]

Quando lemos os textos bíblicos mencionados nos parágrafos anteriores, vemos claramente que os mandamentos de Deus independem da Lei em qualquer período da história bíblica ou mesmo da história da humanidade. Hoje, no chamado tempo da graça, o incesto e o adultério permanecem condenáveis.

Aqueles que defendem que a homoafetividade é aceita por Deus atualmente e que as proibições se referem ao chamado código mosaico deixam de reconhecer que essas mesmas exortações estão presentes no Novo Testamento. Em 1Tessalonicenses 4.1-8 e 1Coríntios 5.1-5, Paulo reafirma as proibições morais mencionadas no Antigo Testamento.

Embora a Lei tenha sido totalmente cumprida em Cristo, isso não quer dizer que ela tenha sido abolida e que somos livres para fazer o que quisermos, incluindo matar, adulterar, roubar, praticar incesto e tudo mais. Jesus aboliu a Lei no sentido de a

38 Cristão homoafetivo?

considerarmos um caminho para a justificação. Em outras palavras, ninguém se torna justo por obedecer à Lei, simplesmente porque ninguém é capaz de cumpri-la fora de Cristo. Apenas Jesus é capaz, e ele a cumpriu em nosso lugar.

Em contrapartida, a parte da Lei que foi abolida como prática para os seguidores de Jesus nos dias de hoje foi a chamada Lei cerimonial, que se refere a ações voltadas especificamente para as necessidades judaicas de então, como a proibição de comer carne de porco e de usar certos tipos de roupas.

Algumas pessoas, no entanto, podem ter dificuldade para entender as normas estabelecidas por Deus com relação à homoafetividade. Cláudio nunca havia lido esses textos, e sua primeira reação foi olhar para o Senhor como um estraga-prazeres ou mesmo voltar a dizer que esses textos estão fora de época. Mas ele tinha outra pergunta para seu pastor.

— Se Deus é contra a prática da homoafetividade, como ele amou Davi se este e Jônatas eram homossexuais?

Amorosamente, o pastor de Cláudio lhe disse:

— Filho, você entendeu que a prática homoafetiva é pecado e que contraria o que Deus planejou como expressão sexual afetiva de seus filhos?

Como conciliar o que Cláudio ouvira sobre Levítico 18.22 e 20.13 com o que ele dizia sentir desde a adolescência? Por isso, a história da suposta homoafetividade de Davi e Jônatas poderia soar-lhe como um alívio. Será?

Davi e Jônatas: homoafetividade ou amizade? (1Sm 18.1-5; 20.41; 2Sm 1.26)

A comunidade LGBT vê a relação entre Davi e Jônatas como um relacionamento homoafetivo. Mesmo sem analisar os textos que relatam a história dessa amizade, podemos partir do seguinte pressuposto: se a Bíblia nunca esconde os erros de seus personagens, como adultério, incesto ou assassinato, por que esconderia uma relação de homoafetividade entre Davi e Jônatas se ela de fato tivesse existido? Esse foi o primeiro comentário do pastor diante da insistência de Cláudio: "Como o senhor explica a relação homoafetiva de Davi e Jônatas? Não seria essa uma prova de que Deus permite esse tipo de relação quando vivida em completa união e fidelidade?".

A relação de amizade entre Davi e Jônatas surge no contexto da vitória de Davi sobre Golias. Naquele momento, o rei israelita Saul vê o jovem Davi tornar-se herói militar e então entrega-lhe o comando do exército de Israel (1Sm 18.5). O relacionamento de amizade entre Davi e Jônatas nasce e se fortalece mesmo se tratando de um momento de guerra, de expectativas de futuro e sucessão real: "Depois que Davi terminou de falar com Saul, formou-se de imediato um forte laço de amizade entre ele e Jônatas, filho do rei, por causa do amor que Jônatas tinha por Davi" (1Sm 18.1).

Um pouco mais adiante, a amizade dos dois é reafirmada: "Jônatas assumiu um compromisso solene com Davi, pois o amava como a si mesmo" (1Sm 18.3). Ainda sem considerar o significado das palavras em hebraico que descrevem esse relacionamento, podemos afirmar com base no contexto cultural que a relação de Davi e Jônatas é de profunda amizade, permeada por um pacto, e não por um contrato de prestação de fidelidade.

Uma tradução extremamente literal de parte de 18.3 poderia ser assim: "A alma de Jônatas uniu-se à alma de Davi, e Jônatas o amou como a si mesmo". A NVT traduz o trecho por "Jônatas assumiu um compromisso solene com Davi, pois o amava como a si mesmo", enquanto a NVI diz: "E Jônatas fez um pacto de amizade com Davi, pois se tornara o seu melhor amigo".

A compreensão do verbo "amar" se torna crucial para o entendimento do real sentido do versículo. O verbo "amar" (em hebraico, *ahab*) também aparece em textos que falam do amor entre Abraão e Isaque (Gn 22.2), Jacó e José (Gn 37.3), Sansão e Dalila (Jz 14.16; 16.15), Noemi e Rute (Rt 4.15), Elcana e Ana (1Sm 1.5) e Rebeca e Jacó (Gn 25.28). Em nenhum desses contextos a relação amorosa é descrita como condenável. Assim também, quando a Bíblia diz que Jônatas ama Davi como a si mesmo, não faz nenhuma insinuação de que se trata de uma relação homoafetiva. Adicione-se aqui a lembrança de que o mesmo verbo é usado em Levítico 19.18 ("... cada um ame o seu próximo como a si mesmo..."), conforme citado por Jesus em Mateus 22.

Segundo comentaristas e léxicos hebraicos, o significado do termo está mais para união, no contexto de um pacto ou tratado político.[6] Quando inserido em um contexto negativo, é algumas vezes traduzido por "conspiração" (cf. 2Rs 11.14). Isso, no entanto, não altera o fato de que, na relação entre Jônatas e Davi, havia mais do que uma nuance política. Havia uma amizade verdadeira e normal entre dois amigos, sem nenhuma conotação homoafetiva.

Outro aspecto a considerar no fato de Jônatas ter amado Davi como a si mesmo é o contexto cultural do momento em que a expressão foi utilizada. Saul já havia sido rejeitado por Deus como rei de Israel (cf. 1Sm 15) e Davi havia sido ungido como o futuro rei da nação. A vitória de Davi sobre Golias era uma espécie de confirmação do que ocorreria com o jovem guerreiro. Note-se, então, que a conversa de Saul com Davi após a vitória sobre Golias carrega a expectativa de uma futura aliança entre Jônatas e Davi. Ali estavam o filho do rei atual e o próximo rei. Assim, mesmo que não houvesse uma relação de amizade, o fato de Jônatas ter dado a Davi a túnica, o manto, a espada, o arco e o cinturão revela a prática da época, que comunicava submissão e trato político.

Nos tratados políticos daquele contexto, expressões afetivas entre as partes eram comuns.[7] Assim foi quando Salomão, ungido rei, lembrou a Hirão, rei de Tiro, que Davi e ele haviam sido amigos (1Rs 5.1-6). O texto pode ter uma tradução literal, significando que Hirão havia amado Davi. Com isso, pode-se concluir mais uma vez que as expressões afetivas de Jônatas a Davi nada tinham de conotação homoafetiva, mas, sim, comunicavam uma aliança fiel do filho do rei Saul com o futuro rei de Israel — aliança permeada por uma profunda amizade entre os dois.

A amizade entre Davi e Jônatas é mencionada com mais intensidade em 1Samuel 19—20, quando o filho do rei evita que o amigo seja morto. Saul deixa muito clara sua intenção de matar Davi (1Sm 20.31), que, sentindo-se ameaçado pela perseguição do rei, despede-se de Jônatas de uma forma típica de um vassalo perante seu superior (1Sm 20.41). O texto diz que Davi se inclinou três vezes perante Jônatas, e então beijaram um ao outro, numa despedida típica entre um inferior, Davi, e um superior, Jônatas, o filho do rei.

Beijar é uma atitude típica de amizade no Oriente, presente em algumas culturas ainda hoje. Portanto, não foram beijos de amor entre dois homens, mas de dor e perda. A Bíblia relata que, em certa ocasião, o profeta Samuel também beijou Saul, e também naquela atitude não houve nenhum sinal de homoafetividade (1Sm 10.1). Da mesma forma, Absalão, filho de Davi, beijava muitos que os procuravam (2Sm 15.5), Davi beijou Barzilai (2Sm 19.39) e Joabe beijou Amasa (2Sm 20.9). Em nenhuma dessas circunstâncias o beijo teve conotação homoafetiva.

Cláudio estava inquieto com as explicações sobre a amizade entre Davi e Jônatas. Parecia difícil admitir que a impressão que tinha sobre os dois estava errada, ainda mais porque, na realidade, ele tentava encontrar uma justificativa para seu comportamento homoafetivo. Mas ainda outro texto o incomodava. Como entender Davi quando ele diz: "Como choro por você, meu irmão Jônatas, quanto eu o estimava! Seu amor por mim era precioso, mais que o amor das mulheres" (2Sm 1.26)?

Pouco antes, Davi se refere a Saul e Jônatas como "amados e estimados" (2Sm 1.23). Nesse trecho, Davi usa a mesma expressão que no versículo 26, e claramente não há nenhuma conotação sexual. Na verdade ele está expressando seu pesar por um amigo que marcou sua vida talvez mais que as esposas que teve.

42   Cristão homoafetivo?

Para entender melhor o significado das palavras de Davi, temos de lembrar que no Oriente Médio, não raro, o casamento era arranjado, fruto de um acordo político. Muitas vezes não havia o amor esperado entre marido e mulher; o casamento era mais uma conveniência. Davi foi pressionado por Saul para um casamento de conveniência com as filhas dele, embora ele tenha amado Mical.

Frequentemente, por terem casado por conveniência, muitos dos soberanos encontravam nos amigos mais apoio e companheirismo que nas próprias esposas. Assim, o cântico que Davi escreve por causa da morte de Saul e do amigo Jônatas expressa sua dor e exalta a amizade fiel daquele com o qual ele havia feito três alianças de fidelidade política e de proteção. A relação de Davi e Jônatas ilustra claramente o que diz Provérbios 18.24: "... o verdadeiro amigo é mais próximo que um irmão". Davi e Jônatas não eram homoafetivos; eram amigos mais próximos que um irmão.

A essa altura da conversa com o pastor, Cláudio já havia compreendido o significado da narrativa da criação, na qual Deus deixa bem claro que o afeto que inclui a sexualidade de um homem é para com uma mulher e vice-versa. A história de Sodoma e Gomorra destruídas por causa da imoralidade sexual o havia marcado. A clara instrução de Deus de que a prática da homoafetividade era pecado doeu em Cláudio, porque, de certa forma, ele ainda alimentava a ideia de que era possível viver a prática homoafetiva e seguir Jesus. Suas dúvidas quanto à relação de Davi e Jônatas foram até certo ponto dirimidas. Mas ele ainda precisava entender o que o Novo Testamento diz sobre a questão da homoafetividade. Como ele reagiria foi a pergunta que o pastor de Cláudio fez a si mesmo.

A homoafetividade dentro de um contexto maior da tristeza de Deus (Rm 1.18-32)[8]

Ao entrar no gabinete para uma nova conversa com o pastor, Cláudio mostrava-se confiante, embora um tanto sisudo. O pastor, por sua vez, confrontava Cláudio com firmeza, mas sem rejeição. Explicava-lhe, de modo paciente e não julgador, os textos fundamentais a respeito do que Cláudio enfrentava. Talvez por isso ele o ouvisse. Eram realidades duras, mas ditas em um contexto de graça, o que o ajudou a iniciar a conversa.

— O que de difícil o senhor tem para mim hoje?

— Não sei se difícil, mas vamos procurar entender nosso tema da perspectiva de Deus — o pastor respondeu e convidou Cláudio a abrir a Bíblia no primeiro capítulo de Romanos. Mas, antes de abrir o texto, o pastor disse amorosamente:

— Filho, meu desejo aqui não é afastá-lo de Deus, mas trazê-lo para mais perto dele e de sua graça com aquilo que ele diz a respeito da homoafetividade. Meu desejo é que você encontre os recursos para lidar com seu desafio e possa viver de forma satisfatória à luz da graça e do poder de Deus.

Romanos 1.18-32, especialmente os versículos 24 a 27, é um dos textos mais importantes e, ao mesmo tempo, difíceis que precisamos entender ao lidar com o tema da homoafetividade. Ao falar sobre a pecaminosidade da raça humana, Paulo traz à tona a questão da homoafetividade — e, pela primeira vez, o lesbianismo é mencionado (v. 26). É interessante notar que o pecado principal apontado pelo apóstolo nesse contexto não é a homoafetividade. Como vimos anteriormente neste capítulo, a Bíblia aponta que tal prática é, na realidade, fruto do pecado da idolatria. A tristeza de Deus é ver que ele revelou ao homem tudo aquilo de que este precisava para conhecê-lo e obedecer-lhe, e a humanidade optou por negar essa revelação (cf Rm 1.19-23). Em vez de glorificá-lo e prestar-lhe adoração, o ser humano trocou a verdade divina pela mentira.

A realidade é que, desde a criação do mundo, os atributos e a natureza de Deus estão encravados naquilo que ele criou. A mentira é que o homem trocou essa revelação por uma "verdade" que ele imaginou, expressa em sua atitude de adorar coisas em vez de adorar a Deus. O homem preferiu tentar achar o Senhor ao

44 Cristão homoafetivo?

adorar a criação divina em vez de buscar no Criador a satisfação para a vida (Rm 1.24-25).

O resultado dessa troca é terrível para o ser humano. O versículo 24 começa com "Por isso...". Paulo cria aqui a conexão da causa com o efeito. Por causa da idolatria do homem, por causa do pecado do homem, "Deus os entregou aos desejos pecaminosos de seu coração..." (Rm 1.24). A expressão "Deus os entregou" foi usada três vezes nesse texto (v. 24,26,28) e sempre decorrente da escolha idólatra do ser humano. O Senhor não causa o mal, mas, quando o homem se rebela contra ele de forma sistêmica e contínua, Deus o abandona nessa escolha, como se dissesse: "Se é essa a sua escolha, pode seguir com ela...".

Segundo o raciocínio de Romanos 1.24, entendemos que Deus entregou o homem à imundícia, isto é, à impureza sexual, como fruto da escolha humana pela idolatria. Nessa frase, o termo traduzido por "desejos pecaminosos" refere-se, no contexto, a toda sorte de impureza sexual arraigada no coração do ser humano. São os desejos incorretos do coração nas áreas moral e sexual. Paulo usa a palavra muito mais no contexto de "desejos proibidos" ou "desejos imorais", como qualquer tipo de concupiscência. Portanto, como fruto da idolatria e do agigantamento dos desejos impuros do coração humano, Deus abandona o homem para satisfazê-los, desonrando o corpo entre si.

Importa ressaltar que em nenhum momento o texto se refere à imoralidade sexual cometida em cultos pagãos. O foco aqui é o comportamento do homem que adora a si mesmo, e não a Deus, seja dentro do templo pagão, seja na vida cotidiana. Assim, como consequência do pecado, ao envolver-se com imoralidade sexual, o homem até pode ter momentos de prazer, mas da perspectiva da verdade espiritual ele está degradando o próprio corpo, criado para agradar a Deus, e não para ser um templo de satisfação meramente carnal e pecaminosa. Portanto, imoralidade sexual, no contexto em foco, pode trazer prazer, mas é uma degradação do corpo humano.

Cláudio franze a testa. Ele nunca havia lido Romanos dessa forma. Mas o pastor lhe diz que o problema vai mais fundo. Embora o versículo 24 fale da imoralidade sexual de modo um pouco mais genérico, o versículo 26 é bem mais específico: "Por isso, Deus os entregou a desejos vergonhosos...". Os desejos vergonhosos, ou degradantes, se revelam na forma antinatural por meio da qual a mulher se relaciona sexualmente com outra mulher, e o homem com outro homem.

Aqueles que defendem o comportamento sexual com pessoas do mesmo sexo como algo permitido por Deus costumam olhar para esse texto por uma perspectiva distorcida, ao considerar que ele se refere a um relacionamento de um homoafetivo com um heterossexual. Essa concepção, porém, nega o conceito de criação do homem e da mulher e o fato de que foram feitos para se completarem. A palavra grega usada por Paulo, *physin*, traz em si o significado de algo para o qual se tem inclinação, com o que se é naturalmente nascido, de acordo com a natureza em si. Em nenhum momento, o vocábulo traz a ideia de que é antinatural a mulher lésbica relacionar-se sexualmente com um heterossexual. É justamente o oposto. Encarar o lesbianismo como algo natural é justamente antinatural, de acordo com a Bíblia. É subverter a criação.

Ao focar nos indivíduos do sexo masculino, Paulo sublinha o erro do comportamento antinatural quando afirma que os homens "em vez de ter relações sexuais normais com mulheres, arderam de desejo uns pelos outros. Homens praticaram atos indecentes com outros homens e, em decorrência desse pecado, sofreram em si mesmos o castigo que mereciam" (v. 27). Era como se eles realmente se divorciassem do que é natural. O verbo usado por Paulo, *aphiemi*, um particípio aoristo, significa "abandonar", "divorciar-se", "deixar para trás", e a palavra traduzida por "indecente" é *aschemosyne*, que designa algo que é "impróprio", "despido de valor", "vergonhoso", e portanto totalmente desconectado do que Deus aprova.

46   Cristão homoafetivo?

Neste ponto, surge algo muito dolorido para o coração humano idólatra: "sofreram em si mesmos o castigo que mereciam". A prática homoafetiva é pecaminosa porque configura uma escolha distante do modelo original de relacionamento criado por Deus entre homem e mulher. Porém, é mais que isso, pois ela já é uma punição, fruto da escolha idólatra de homem e mulher. Sim, quando um homem (e isso vale para a mulher) se deita com outro homem, como se um deles fosse mulher, o homem deixa de obedecer a Deus e nega a intenção original do Senhor para o casamento entre homem e mulher. Ao escolher desobedecer a Deus, o homem assume que o que ele deseja para si é mais sábio do que aquilo que o Senhor tem para ele — e isso é idolatria. Assim, a homoafetividade é o castigo natural de Deus para essa idolatria: ela não causa punição; ela é uma punição em si mesma por ter o homem tratado como mentira a revelação de Deus.

A abordagem do tema *homoafetividade* com base em Romanos 1.24-27 é extremamente contundente, clara e inquietadora. Ainda que alguns digam que a proibição de Deus quanto à homoafetividade é algo do Antigo Testamento, não há dúvida de que o apóstolo Paulo está escrevendo para pessoas de uma sociedade que, a exemplo da sociedade pós-moderna do século 21, via a homoafetividade como algo natural.

Se Paulo enfatiza a depravação humana nos três primeiros capítulos de Romanos, podemos dar graças a Deus pelos capítulos 4 a 8, especialmente pelo capítulo 8: "não há nenhuma condenação para os que estão em Cristo Jesus" (v. 1). Embora Deus veja a homoafetividade como ofensa à sua santidade e fruto da pecaminosidade humana — logo, pecado —, precisamos lembrar que não existe pecado que o sangue de Jesus não cubra.

O pastor trouxe esse último pensamento à tona porque percebeu na fisionomia de Cláudio um misto de surpresa, desconforto e ira. Cláudio, então, levantou outra questão.

— Se eu nasci *gay*, como posso entender esses textos de Romanos?

Sabiamente, o pastor respondeu.

— Vou procurar responder à sua pergunta mais tarde, em outro encontro. Agora precisamos olhar para um texto em que Deus revela seu pensamento sobre a homoafetividade.

Uma delicada lista de vícios (1Co 6.9-10 e 1Tm 1.10)

Quando o pastor de Cláudio o convidou para um novo encontro, deu-lhe uma tarefa: que lesse novamente Romanos 1—3; 7— 8 e duas outras passagens bíblicas:

> Vocês não sabem que os injustos não herdarão o reino de Deus? Não se enganem: aqueles que se envolvem em imoralidade sexual, adoram ídolos, cometem adultério, se entregam a práticas homossexuais, são ladrões, avarentos, bêbados, insultam as pessoas ou exploram os outros não herdarão o reino de Deus.
>
> 1Coríntios 6.9-10

> Pois a lei não foi criada para os que fazem o que é certo, mas para os transgressores e rebeldes, para os irreverentes e pecadores, para os ímpios e profanos. Ela é para os que matam pai ou mãe ou cometem outros homicídios, para os que vivem na imoralidade sexual, para os que praticam a homossexualidade, e também para os sequestradores, os mentirosos, os que juram falsamente ou que fazem qualquer outra coisa que contradiga o ensino verdadeiro, que vem das boas-novas gloriosas confiadas a mim por nosso Deus bendito.
>
> 1Timóteo 1.9-11

Cláudio perguntou:

— Você quer me massacrar mais ainda?

Mas o pastor respondeu, amorosamente:

— Não, não quero massacrá-lo. Quero que você encontre a graça de Deus naquilo que está enfrentando. Tenha paciência e um coração aberto para ouvir o Senhor.

48 Cristão homoafetivo?

A graça de Deus só é valorizada quando descobrimos a profundidade da nossa pecaminosidade. Os textos de 1Coríntios 6.9-10 e 1Timóteo 1.9-11 nos conduzirão a uma compreensão ainda mais profunda do problema da homoafetividade e, por conseguinte, ao desejo de melhor compreender a graça de Deus e como ela pode ser experimentada por todos os que lutam contra sentimentos homoafetivos.

Os dois textos listam comportamentos que não podem ser vividos por aqueles que se dizem seguidores de Jesus. Entre esses comportamentos, são apresentados pelo menos três que estão associados à imoralidade sexual. Comparando com Romanos 1.24-27, não é à toa que a primeira palavra usada por Paulo nessa lista seja "idolatria". É por isso que 1Coríntios 6.9-10 começa com a pergunta retórica: "Vocês não sabem que os injustos não herdarão o reino de Deus? Não se enganem...".

A expressão "reino de Deus" tem um aspecto presente e outro futuro. Acerca do futuro, aponta para o dia em que estaremos com Deus no céu e, com profunda alegria, seremos totalmente submissos a ele, o nosso Rei. No aspecto presente, significa a disposição que temos de nos submeter a ele, mesmo que de forma falha. Hoje, quando resolvemos seguir Jesus, entendemos que renunciamos às práticas pecaminosas do passado e, no poder do Espírito Santo, procuramos obedecer-lhe em tudo o que ele espera de nós em nosso estilo de vida. Assim, a pergunta do apóstolo Paulo incorpora a ideia de que, uma vez que resolvemos seguir Jesus, atos como adultério, roubo, calúnia, compulsão por álcool e práticas homossexuais não podem mais fazer parte da experiência de vida do discípulo de Cristo.

Em nenhum momento, o contexto da expressão paulina comunica a ideia de perda da salvação ou de confirmação de salvação, pelo simples fato de que os comportamentos listados não fazem parte da vida do cristão. O que Paulo enfatiza nesse texto para os crentes da igreja em Corinto é que, se eles se dizem seguidores de Jesus, não podem mais viver como no passado, sendo, por exemplo, adúlteros, homoafetivos, ladrões ou imorais, pois esse estilo de vida demonstraria distanciamento de Deus e insubmissão a ele. E aqueles que não vivem sujeitos ao Senhor ou vivem na idolatria são os que escolheram não fazer parte do reino.

Assim, como vimos em Romanos 1.24-27, o problema básico em não herdar o reino não reside em ser adúltero ou homoafetivo. O problema básico está em viver uma vida de autossuficiência, distante da graça de Deus.

É importante observarmos duas palavras que Paulo usa em referência à homoafetividade. Em 1Coríntios 6.9-10, ele usa a palavra grega *malakoi*. A tradução desse termo tem sido motivo de grandes discussões, especialmente entre aqueles que defendem a prática da homoafetividade como permitida por Deus. Os que advogam essa linha procuram apontar para o fato de que ela se refere apenas à pederastia, prática comum na cultura grego-romana que consistia em relações sexuais entre um homem adulto e um menor de idade. Se a palavra refere-se apenas à pederastia, então o texto paulino não estaria condenando a prática homoafetiva entre adultos. Quem abraça esse argumento se esquece de que no texto de Romanos não existe nenhuma referência à pederastia. Além disso, o contexto histórico em que o termo foi utilizado algumas vezes remete à prática de relações homoafetivas visando ao lucro financeiro, outro comportamento que Deus abomina (Dt 23.17-18).

Porém, outros significados são atribuídos ao termo. "Efeminado" é um dos possíveis significados ou "aquele que é leve, terno ou cujo comportamento é cheio de maneirismos femininos". Outras fontes definem *malaikos* como o parceiro passivo na relação homoafetiva e aquele que procura deixar sua imagem masculina em troca da feminina para atrair homens a uma relação afetiva. Fílon, historiador judeu do primeiro século da era cristã, citado por Gagnon,[9] define *malaikos* como "aquele que é gentil ou terno, efeminado, o passivo na relação homoafetiva e que cultiva comportamentos femininos". Ainda citando Fílon, Gagnon

50 Cristão homoafetivo?

acrescenta que *malaikos* seria "um homem guiado pelo desejo de ser penetrado por outro homem e que permanentemente assume o papel do parceiro passivo com maneirismos femininos".[10]

O conceito de *malaikos* como expressado por Paulo aponta para algo muito dolorido para a raça humana, uma vez que, se *malaikos* é aquele que é penetrado por outro homem, os que praticam o "*malaikoismo*" estão ferindo o conceito da criação do homem e da mulher à imagem de Deus e do relacionamento sexual conforme concebido na criação. Trata-se de idolatria. É o estágio no qual o homem, o macho, também criado à imagem de Deus, procura desfazer esse traço da sua criação divina, buscando feminizar-se. Isso é pecado, pois afronta o plano original de Deus para o relacionamento sexual entre homem e mulher: uma intimidade entre diferentes e iguais, como ocorre entre os membros da Trindade. Existe aqui uma relação com o ensino de Paulo em Romanos 1.24-27: o relacionamento homoafetivo permeado por "*malaikoismo*" é uma desonra para o corpo humano.

Outra palavra que também tem sido alvo de muita discussão é o termo grego *arsenokoites*, que aparece em 1Timóteo 1.10 e resulta da união de duas outras palavras. A primeira é *arsen*, que significa "macho", sempre carregada de conotação sexual, e a segunda é *koite*, que significa "cama", frequentemente utilizada em linguagem figurada para aludir a uma relação sexual. Portanto, o significado mais literal de *arsenokoites* seria "aquele que leva outro homem para a cama".

Mais uma vez, os defensores da homoafetividade como algo normal procuram afirmar que Paulo tem em vista aqui a pessoa que contratava um jovem mais novo ou de menor idade para ter relações sexuais com ele, praticando, assim, a pederastia. Numa extensão da defesa por uma homoafetividade aceitável, outros defendem que Paulo estava condenando apenas a homoafetividade que explorava o corpo de outro homem. Essa ideia sugeriria serem lícitas as relações sexuais praticadas entre pessoas masculinas mediante mútuo consentimento. No entanto, em nenhum ponto de Romanos 1.24-27 ou de 1Coríntios 6.9-10, Paulo exclui a homoafetividade do contexto de vícios que o cristão não pode praticar. Se ele tivesse em mente a condenação da relação homoafetiva entre um homem mais velho e um mais novo, teria usado a palavra "pederastia".

Ao mesmo tempo, como ele inclui na lista de 1Coríntios 6.9-10 outros pecados, a exemplo de adultério e imoralidade sexual, Paulo simplesmente diz que tais práticas são pecaminosas, sem mencionar nenhum predicado que as justifique. O apóstolo de Cristo não inclui certo tipo de prostituição permitida ou de incesto permitido, ao considerar Levítico 18.22; 20.13. Da mesma forma, Paulo tem em mente Romanos 1.24-27 ao afirmar que homens praticaram atos indecentes com outros homens e, em decorrência desse pecado, sofreram em si mesmos o castigo que mereciam. Por isso, *arsenokoites* é uma prática homoafetiva, homem com homem, que não pode fazer parte da vida de quem herdará o reino de Deus por crer em Jesus.

Portanto, 1Coríntios 6.9-10 faz um apelo aos que seguiam Jesus em Corinto. Era como se Paulo estivesse dizendo: "No passado, vocês viviam assim, mas, agora, por causa da decisão que tomaram, vocês sabem que isso não pode mais fazer parte de sua vida".

A essa altura, Cláudio estava encolhido em sua poltrona e só conseguiu dizer: "Obrigado por seu esforço em me explicar o que a Bíblia diz sobre homoafetividade. Mas tenho muitas outras perguntas, embora seja difícil concordar com tudo o que ouvi. Preciso de mais tempo para pensar".

Quando olhamos para os textos bíblicos relacionados com a homoafetividade, precisamos ter uma conversa com a alma. Isso é verdade especialmente para aqueles que seguem Jesus e vivem na homoafetividade, ou se sentem inclinados a ela. Como vimos até agora, Deus é claro e direto ao dizer que a prática da homoafetividade é pecado. Trata-se de uma ofensa ao Senhor. Alguém poderia indagar: "Mas os outros pecados também não constituem uma ofensa a Deus?". Sim, todos os pecados são uma ofensa a Deus. Mas a homoafetividade afeta diretamente o conceito da criação do homem e a concepção do casamento e os propósitos de Deus para ele. Roubar, mentir e adulterar, por exemplo, são pecados sérios, que Deus abomina, mas a linguagem usada para referir-se a esses pecados talvez não seja tão dura como aquela que se refere à prática homoafetiva: "Deus os entregou...". Essa é uma expressão muito forte, que revela a indignação divina contra aquele de quem ele espera receber adoração, mas escolheu adorar a si mesmo e a outro igual a ele.

Entretanto, graças ao amor de Deus, a questão da homoafetividade não termina com a punição, com a entrega do homem aos próprios desejos e às paixões vergonhosas. A história da homoafetividade pode ter outro desfecho, quando olhamos para o mesmo Deus que não hesitou em entregar a si mesmo para redimir aquele que foi entregue à sua própria vida imoral. O mesmo Deus que "entregou o homem" é o Deus que entregou seu único Filho, para que todo aquele que nele crer tenha sua vida restaurada e transformada.

Cláudio experimentava raiva, frustração e decepção. Ainda não estava cogitando perguntar: "Como posso viver uma vida livre em Jesus, mesmo com inclinações ou práticas homossexuais? Será que posso ter esperança para uma vida satisfeita?". Essas perguntas viriam mais tarde. Ao sair do gabinete do pastor, perguntou-lhe:

— Se eu voltar para outra conversa, gostaria de perguntar: "Posso ser cristão e mesmo assim ser homoafetivo?".

O pastor respondeu:

— Será muito importante lidarmos com essa pergunta, pois ela está diretamente ligada a outra decisão que você precisa tomar.

— Qual? — retrucou Cláudio.

— Vamos deixar para o próximo encontro — respondeu o pastor.

2 | SER, SENTIR E FAZER

O que está de fato errado com a homoafetividade?

O pastor esperou com grande expectativa o encontro seguinte. Ele havia percebido o desapontamento de Cláudio ao ouvir os textos bíblicos que apontam a pecaminosidade da relação homoafetiva. Esse conhecimento também havia levantado questões com que seu aconselhado ainda não tinha lidado. O pastor alimentava esperanças de que Cláudio se abrisse e levantasse não apenas as questões factuais, mas aquilo que guardava na alma. Cláudio retornou, o que deixou o pastor feliz. Já de cara, ele disse, amorosamente:

— Cláudio, prosseguindo em nossas conversas, gostaria que você soubesse que estou partindo de dois pressupostos a seu respeito. Primeiro, entendo que você está aqui porque se diz cristão, isto é, que resolveu crer em Jesus como aquele que morreu na cruz para perdoar seus pecados e seguir os ensinamentos dele. Segundo, que você está aqui para entender melhor quais são os ensinamentos de Cristo, a fim de viver uma vida que agrade a ele, inclusive na área da sexualidade. Estou certo nas minhas pressuposições?

Cláudio respirou fundo, ficou algum tempo em silêncio e, por fim, respondeu:

54 Cristão homoafetivo?

— Sim, acho que é isso. Mas preciso de mais tempo para dizer o que vem do mais íntimo do meu ser. Tenho questões que talvez me levem a pensar que nem tudo é preto ou branco.

— Obrigado, Cláudio, por sua honestidade. De minha parte, garanto que o aceito e aceitarei como é. E serei totalmente honesto com você à luz do estudo do tema na Palavra de Deus. Suas convicções podem até ser diferentes das minhas no campo bíblico, mas em nenhum momento isso nos impedirá de ser amigos e de falarmos francamente sobre o assunto.

Quando lidamos com o tema da homoafetividade, precisamos enfrentar honestamente muitas perguntas. Para muitas delas não temos e nunca teremos as respostas. Embora as causas da homoafetividade levantem questões cruciais, lógicas e racionais, nem mesmo a ciência é capaz de ser categórica e objetiva. Na Bíblia encontramos textos sobre o assunto, mas também percebemos algo interessante: ela não se atém a informar ou explicar as causas da homoafetividade. Isso não faz que a pesquisa deixe de ser importante. Do ponto de vista bíblico, o mais importante é saber lidar com o assunto segundo o caminho da graça de Jesus, e não se a questão é emocional, genética, fisiológica ou o que for.

Neste capítulo, queremos tratar de três questões que nos ajudarão a encarar o desafio de como lidar com a homoafetividade, colocadas em forma de perguntas: "Quem *somos* em Cristo?", "É errado *sentir* atração sexual por pessoas do mesmo sexo?" e "O que *faço* com minha vontade?".

Essas indagações podem ser resumidas em três palavras-chaves: *ser, sentir, fazer.*

Criados à imagem e semelhança de Deus

É muito comum pessoas que lutam com a questão da homoafetividade olharem para si e se identificarem apenas como homoafetivas. Essa identidade é confusa, porque o cerne da identidade de alguém não está em sua inclinação ou na prática da sexualidade. Se uma pessoa, por exemplo, luta com a pornografia e alguém lhe pergunta quem ela é, não ouvirá como resposta "eu sou um pornográfico". Da mesma forma, se alguém luta com fantasias sexuais adúlteras, não se classifica como "adúltero".

Com certeza, a questão da homoafetividade afeta como a pessoa se enxerga, e essa autopercepção errônea causa um efeito devastador, especialmente quando ela também se vê ou acredita ser uma seguidora de Jesus. Por isso, é importante para aquele que se diz seguidor de Cristo realmente saber quem ele é, ou, mais importante ainda, saber como Deus o vê e diz quem ele é.

Quando o homem foi criado, o foi à imagem e semelhança de Deus. E aqui podemos trazer à tona uma pergunta séria, que nos leva a pensar sobre como Deus vê o homoafetivo: será que o *gay* tem em si a imagem e semelhança de Deus da mesma forma que o heterossexual?

É importante entendermos esse conceito da criação do homem à *imagem* e *semelhança* de Deus, segundo a narrativa da criação em Gênesis. Esses dois termos carregam um significado de igualdade e, ao mesmo tempo, diferenciação. Pensando em imagem de Deus, o autor de Gênesis não quis dizer que somos como Deus. Mas, por termos sido criados por ele, o Senhor mesmo decidiu infundir na coroa de sua criação algo que o representa. Assim, quando o homem age e pensa, reflete quem Deus é. As responsabilidades atribuídas ao homem quando o Senhor o criou — cuidar da terra, dominá-la e multiplicar-se — expressavam a vontade de Deus em ação na terra por intermédio de sua criatura.

Se analisarmos a palavra "semelhança", entendemos que Deus não pensou em pequenos deuses ao criar Adão e Eva, mas em um ser humano com características que representam ou lembram o próprio Deus. Por exemplo, tendo sido criado à semelhança de Deus, o homem também poderia criar. A diferença é que Deus criou tudo do nada, apenas pelo poder de sua Palavra. Já o homem, criado por Deus, passaria a criar a partir do que o Senhor criou. Portanto, quando vemos o homem criar o

56 Cristão homoafetivo?

smartphone, a televisão e as viagens interplanetárias, ele o faz servindo-se do que Deus criou.

Por ter sido criado à imagem e semelhança de Deus, o homem também carrega, desde a criação, especialmente antes da queda, qualidades inerentes a Deus. O homem é relacional. Por essa razão, a fim de afirmar seu toque na criação do homem, o Senhor disse que não era bom para ele estar só, o que o levou a criar Eva. Ela era, ao mesmo tempo, igual ao homem e diferente dele, assim como os membros da Trindade são iguais e diferentes entre si.

Mas, além de ser relacional, o homem também foi criado com a capacidade de sentir. Ele sente não somente dores, como os outros animais, mas também sente amor por seus semelhantes e é capaz de dar-se em favor de outros, como Deus mais tarde deu-se em favor de sua criação, por meio de Jesus. Como Deus ama, o homem foi criado com essa capacidade.

O homoafetivo não perdeu essa capacidade. Não foi a homoafetividade que danificou essa qualidade no homem ou na mulher. A homoafetividade é fruto de algo maior. Amor não é apenas sentimento, mas, também, uma decisão, e sentir faz parte do amor. Assim, o homem também sente vontade de amar e, por ter sido criado à imagem e semelhança de Deus, pode fazer isso sem pensar em receber qualquer coisa em troca, pois isso reflete quem Deus é.

A capacidade de servir e não esperar nada em troca é outra qualidade dada ao homem por ter sido criado à imagem e semelhança de Deus. A Trindade tem uma forma de ser e pensar que olha sempre para fora, e não apenas para si. Jesus demonstrou essa atitude ao escolher abrir mão, por um período de tempo, de estar continuamente na presença do Pai e do Espírito Santo em um ambiente puro, sem pecado e cercado de amor. Mas, por ser servo e servir sem pensar em recompensa, Jesus viveu na terra entre pecadores, cercado de pecados, simplesmente porque queria servir à humanidade. Deus concedeu essa capacidade à humanidade quando criou Adão e Eva. O homem e a mulher, criados à imagem e semelhança de Deus, ganharam a capacidade de servir mesmo quando não são recompensados.

Escolher é uma capacidade divina. Assim, como parte do pacote da imagem de Deus no homem, ele foi criado com a capacidade de escolha. Adão e Eva não eram robôs com uma única capacidade em termos de escolha ou decisão. Eles não foram criados com a capacidade única de escolher o bem. Se fosse assim, eles não refletiriam a imagem e semelhança do Criador e não teriam poder de escolha. Deus decidiu e escolheu criar o mundo e a humanidade. Embora Deus seja soberano para escolher tanto o bem como o mal, mas nunca escolheria o mal, também deu ao homem a possibilidade de escolher entre o bem e o mal. Esse traço do caráter de Deus tem uma implicação profunda na questão da homoafetividade e em como as pessoas lidam com ela.

Adão e Eva possuíam todas essas capacidades, divinamente concedidas. Não eram Deus, mas representavam Deus. Eles amariam ao próximo como a si mesmos e nada fariam que neles mesmos e nos outros viesse a causar dano naquilo que Deus criou. Nos seus relacionamentos interpessoais, Adão e Eva sempre pensariam algo como: "O que estou fazendo com o outro reflete a criação de Deus?". Como amavam a Deus, Adão e Eva tratariam a criação e as pessoas com o mesmo amor de Deus infundido neles.

Essas considerações fizeram o rosto de Cláudio brilhar, em contraste com o semblante que ele apresentava ao entrar no gabinete pastoral. E uma pergunta foi marcante.

— O senhor está dizendo que inclusive eu, um homoafetivo, também carrego a imagem de Deus em mim?

— Sim, você carrega a imagem de Deus. Por isso é tão importante você lidar com essa questão, perguntando a si mesmo se você honra ou não essa imagem — respondeu o pastor. — É crucial entender que nossa identidade não é definida pela orientação sexual. Nossa identidade é definida pela criação. Ela foi

58 Cristão homoafetivo?

danificada pela queda e entra em um processo de restauração quando resolvemos crer no amor de Cristo por nós e em seu trabalho redentor na cruz. Sua homoafetividade não define sua identidade, Cláudio. Mas vamos prosseguir, para compreender melhor essa questão.

A queda estragou a imagem de Deus na humanidade

O ser que foi criado com a capacidade de criar, se relacionar, sentir, amar e servir, entre outras, foi danificado pela queda. O homem ainda possui a capacidade de criar, mas agora ele cria coisas que prejudicam seus semelhantes. Ele cria remédios que curam, mas também cria drogas que matam. Do átomo que Deus criou, o homem criou a bomba atômica, que mata e destrói. A capacidade relacional do homem, que era enriquecida por sentimentos afetivos de servir sem pensar em recompensas, agora busca seu próprio interesse. O amor, que antes procurava apenas o bem-estar do outro, agora é egoísta. E, como resultado, o homem mata quando não se sente amado e mata mesmo aquele de quem recebia amor.

Pior: a capacidade de escolha que Deus deu ao homem agora se vira contra o próprio Deus. Foi assim com Adão e Eva. Com a queda, a criação de Deus foi afetada. Por causa do pecado de Adão, hoje temos catástrofes ecológicas que refletem a escolha do homem, que se beneficia da natureza para o seu bem-estar ganancioso, e não para agradar a Deus e zelar por sua criação. A escolha errada de Adão e Eva se estende ao homem de hoje, que prefere adorar-se do que adorar a Deus (Rm 1.21-32) e, por isso, o homem escolhe satisfazer seus instintos em vez de perguntar ao Senhor se satisfazer seus instintos é o que realmente agrada ao Criador.

A extensão dos efeitos da queda se tornou ainda mais abrangente. O homem caído adquiriu uma nova natureza, pecaminosa. Com isso, sua tendência natural é afastar-se de Deus mais e mais, o que o leva a buscar uma satisfação pessoal que não leva em conta o que agrada ao Senhor, mas o que agrada a si mesmo. Em linguagem bíblica, o homem tornou-se escravo do pecado. Ele sabe que mentir é pecado, mas mente porque isso o atrai e o satisfaz. A culpa se torna algo comum em seu interior, pois, tendo sido criado à imagem e semelhança de Deus, todo comportamento que contraria o que Deus aprova gera sensação de rejeição. Não que Deus o rejeite, pois o Senhor sempre está pronto a receber todo aquele que se arrepende, mas a rejeição é criada pelo próprio homem, que deseja afastar-se do pecado, mas não tem os recursos suficientes para lidar com a pressa do pecado.

Aplicando essa verdade ao contexto da homoafetividade, o problema se aprofunda ainda mais. Roubo, adultério, orgulho e outros tipos de pecado afetam a imagem de Deus no homem. Mas a prática da homoafetividade parece causar mais dor, pois é uma agressão direta e clara aos planos de Deus para o homem em termos relacionais e afetivos. Cada vez que pessoas do mesmo sexo se relacionam sexualmente, aquele momento é uma espécie de facada no desenho que Deus criou no interior do homem, o que traz dor e culpa.

Diante disso, muitos preferem dizer que Deus não existe ou que é um ser maldoso ao não aprovar o relacionamento homoafetivo. Por isso toda a força do movimento LGBT. Esse movimento é uma tentativa humana de apagar a culpa que existe no interior do homem por causa da agressão à imagem de Deus infundida nele mesmo. Entretanto, nada, exceto a graça de Deus, pode apagar essa culpa e libertar o homem da escravidão da natureza pecaminosa, que inclui em muitas pessoas a prática da homoafetividade.

Por causa da queda, tudo aquilo que Deus incutiu em nós em termos de amor, serviço e altruísmo, toda a criação foi corrompida. Por causa do pecado, o amor entre diferentes e iguais foi trocado por algo estranho: os iguais passaram a se atrair. Após a queda, os iguais se buscam sexualmente, em contraste com aquilo que Deus estabeleceu que seria a busca entre diferentes.

O amor sexual entre iguais agride a imagem de Deus no homem, pois, como fruto da criação a essa imagem, o homem foi criado também para amar o diferente e igual ao mesmo tempo, e não apenas o igual a ele.

Agora, por causa da queda, aquele que no contexto da sexualidade deveria buscar um diferente para dar de si e receber, busca o contrário. Agora, para satisfazer os próprios instintos, o igual causa dano ao outro igual, pois, ao relacionar-se sexualmente com outro igual, os dois agridem a imagem de Deus neles. E, se alguém não se importa em agredir no outro aquilo que representa Deus, mesmo a título de amor, está negando o que o amor é. Pois, quando se ama, o amor expressa o desejo de agradar o outro e honrar a Deus.

Isso é muito sério e profundo, porque, dessa perspectiva, a prática da homoafetividade é uma escolha consciente de desobedecer a Deus. Perceba que eu me referi à prática, isto é, a ter relações sexuais com uma pessoa do mesmo sexo. Eu não disse que sentir atração sexual por pessoas do mesmo sexo é uma escolha.

A queda danificou o poder de escolha do homem, mas ele continua sendo responsável por suas escolhas. Por ter sido criado à imagem e semelhança de Deus, a humanidade tem a capacidade de escolher. Assim como pessoas podem escolher entre roubar e não roubar, mas algumas vezes são dominadas pela vontade de roubar, o homem continua tendo a oportunidade de escolher relacionar-se ou não homoafetivamente. Estamos falando da responsabilidade que o homem tem sobre seus atos. Ele pode escolher trair ou não o cônjuge, mentir ou não, a fim de satisfazer desejos pessoais. O problema é que a queda afetou as possibilidades de escolhas, e agora a tendência para o erro tornou-se parte da sua identidade e de seu prazer, mesmo quando isso o prejudica ou prejudica outros. Portanto, a prática da homoafetividade é resultado do pecado.

Quando falamos de queda e homoafetividade, precisamos falar de escolhas. É muito simplista dizer que a prática da homoafetividade é apenas uma opção. A realidade é muito mais profunda e complexa do que se pode imaginar. As dezenas de variáveis que compõem a realidade da prática homoafetiva vão muito além do desejo de ser objetivo e direto. Todavia, levando--se em conta a intenção da criação e os resultados da queda que afetaram a imagem de Deus no homem, não podemos negar que, ao praticar a homoafetividade, o homem ou a mulher também está lidando com uma questão de escolha, uma questão que eles podem resolver se praticam ou não. A pessoa não escolheu ter sentimentos ou desejos homossexuais, mas ela pode escolher se pratica ou não aquilo a que seus desejos a impelem.

A queda não tirou do homem a responsabilidade por suas escolhas. Adão e Eva foram responsabilizados por Deus pela escolha que fizeram ao não crer que o Senhor e a obediência a ele lhes eram suficientes. Aplicando-se isso à prática da homoafetividade, a verdade é a mesma. O homem ou a mulher exerce sua capacidade de escolha ao optar pela prática ou não de atos concretos de homoafetividade.

Da mesma forma, o ladrão, o adúltero ou o que pratica qualquer forma de imoralidade exerce seu poder de escolha dado por Deus. Infelizmente, a natureza pecaminosa herdada de Adão leva o homem a escolher mais facilmente aquilo que lhe dá prazer, e não aquilo que primeiro honra a Deus.

Mas há outro detalhe. Quando Deus criou o homem e a mulher, os fez macho e fêmea. Deus criou o sexo bem definido. Em outras palavras, pela genitália logo se sabe se uma criança é homem ou mulher. Por mais que se discuta que não é a genitália que determina o sexo de uma pessoa, o mais normal é que o sexo biológico seja apontado — e não definido — pela genitália.[1] Quando criou "macho e fêmea", Deus estava definindo desde o início que homem é homem e mulher é mulher, com suas diferenças e similaridades. Essa expressão no hebraico do Antigo Testamento carrega conotação sexual, relacionada ao casamento e à relação homem e mulher, em termos afetivos. Para esses iguais e diferentes que se amariam e se relacionariam sexualmente, Deus lhes concedeu, entre outras coisas, a responsabilidade de se reproduzir e encher a terra com seus filhos.

Assim, ao escolher viver afetivamente com outro homem, o indivíduo opta por desobedecer a Deus e descumprir o potencial que tem de obedecer a um dos mandamentos do Senhor para o homem na criação: a geração de filhos. Nem todos os casais heterossexuais gerarão filhos, alguns por escolha, outros por questões fisiológicas. Mas, quando dois homens ou duas mulheres escolhem viver como casal, estão frontalmente desobedecendo ao desenho de Deus para o casamento. Eles já estão dizendo "não geraremos filhos".

Nesse momento, Cláudio comentou com o pastor:

— Fico grato ao ouvir que, apesar das minhas inclinações homoafetivas, eu não perdi a imagem de Deus em minha vida. Mas, segundo o que temos conversado, minhas inclinações e práticas homoafetivas desagradam a Deus. Então qual é realmente minha identidade? Quem eu sou? Sou um homem criado à imagem de Deus, mas com desejos e práticas contrárias a essa imagem. Isso me confunde.

O pastor acendeu mais ainda a curiosidade de Cláudio quando lhe respondeu.

— Sim, tudo isso causa confusão, pois o pecado nos confunde, assim como o diabo confundiu Eva. Em contrapartida, embora a imagem de Deus no homem tenha sido danificada, em Cristo ela foi reconstruída. Em Jesus, a escravidão de desejos sexuais contrários a Deus podem ser vencidos. Quer saber como?

Como Jesus nos reconstrói

Ao crer em Jesus, ganhamos uma nova identidade, diferente da que tínhamos em decorrência da queda. Quando e como isso acontece? E, quando isso acontece, nossa luta contra o pecado termina? Veremos que, apesar da imagem de Deus em nós ter sido danificada, em Cristo ela passa a ser reconstruída ou entra em um processo de reconstrução.

O conceito bíblico da reconstrução da imagem de Deus em nossa vida afetará profundamente nossa capacidade de escolha. Mas não somente isso: proporcionará a cada indivíduo os recursos necessários para a luta contra a escravidão do pecado, seja o pecado na área da sexualidade, seja em qualquer outra área. Esses recursos funcionarão na escolha para fazer o que é certo, mesmo quando achamos não se tratar da melhor opção para nós, e proverão a capacidade de não escolher o que é errado, mesmo quando sabemos que tal escolha gera prazer.

E como a imagem de Deus reconstruída se relaciona com a homoafetividade?

Quando resolvemos crer em Jesus como nosso Salvador e decidimos pela fé que ele dirigirá nossa vida, ganhamos uma nova realidade. Um dos primeiros textos que nos encorajam nesse sentido é 2Coríntios 5.17: "Logo, todo aquele que está em Cristo se tornou nova criação. A velha vida acabou, e uma nova vida teve início!".

— Observe o contraste que o texto faz entre a "velha vida" e "uma nova vida teve início" — disse o pastor a Cláudio, de forma direta e olhando em seus olhos. — Você me disse que tempos atrás havia resolvido crer em Jesus como seu Salvador, certo?

— Sim — respondeu Cláudio.

— Então preste bem atenção ao que esse texto está dizendo, pois, se essa é sua realidade desde então, você não precisa ser escravo daquilo que o afasta de Deus.

Quando o apóstolo Paulo se refere às coisas velhas, desse pacote que dominava o homem no passado fazem parte a natureza pecaminosa e as consequências a essa inclinação. O significado é profundo porque carrega a ideia de que aquilo que nos escravizava no passado já não tem o poder de antes. No passado, aquela pessoa sem Cristo podia até saber o que estava errado, mas a vontade de fazê-lo a dominava. Agora, depois que, pela fé, resolveu seguir

Jesus, as coisas do passado foram apagadas e uma nova vida teve início. Agora ela terá também a vontade de agradar a Deus.

O significado da expressão grega no Novo Testamento carrega a ideia de uma nova vida mesmo. Deus interveio na vida da pessoa, apagou os erros do passado e lhe deu um novo início. As coisas do passado realmente passaram, ou seja, não têm mais o poder de antes.

As implicações de "uma nova vida teve início" são fantásticas. Agora, sob a nova criação, novos desejos são embutidos naquele que resolveu seguir Jesus, adicionados do poder que Cristo lhe concede a fim de que sejam realizados. A escravidão à velha natureza agora dá lugar à liberdade interior que, motivada pelo amor a Jesus, produz novo estilo de vida, que inclui o reconhecimento dos desejos pecaminosos — mas, agora, com a possibilidade de não serem satisfeitos. Por causa de sua nova vida, o homem ou a mulher podem servir ao outro novamente, mesmo quando não recebem algo de volta, como Deus faz conosco. O amor que, então, tornou-se possível pensa primeiro no outro, e não em si mesmo. Por essa razão, pode escolher não satisfazer a si mesmo quando, ao fazê-lo, prejudica o outro.

Em Cristo, aquilo que foi danificado na pessoa é reconstruído dia a dia por causa da presença de Jesus na vida dela. Nessa reconstrução, vários privilégios são concedidos àqueles que resolveram crer em Jesus, iniciando, assim, uma nova vida. Passamos, por exemplo, a ser habitados pelo Espírito Santo e nos tornamos seu templo. Essa consciência nos leva a pensar seriamente quando somos tentados a viver de acordo com nossa vontade, e ela contradiz a vontade divina. É no Espírito Santo que temos os recursos para viver de dentro para fora uma vida que o agrada, em contraste com uma vida sexual orientada para pessoas do mesmo sexo, por exemplo.

Outro resultado, fruto da habitação do Espírito, é que ela nos concede o selo de propriedade de Deus, sinal de que temos uma relação afetiva com o Pai que nunca será rompida. Ela é parte da nova vida em Jesus. Mesmo aquele que tem inclinações afetivas para pessoas do mesmo sexo recebe esse selo se vier a crer realmente em Jesus e a segui-lo como seu Senhor e Salvador. E, justamente por ter esse selo, ele pode deixar de ser dominado pelos sentimentos homoafetivos.

É importante atentar para a expressão "todo aquele que está em Cristo". A condição de iniciar uma nova vida é estar em Cristo. Podemos entender melhor esse conceito se imaginarmos a vida com Jesus em forma de um círculo. No momento em que cremos em Jesus, somos inseridos nesse círculo, que tem Cristo como centro e fonte de tudo. Somos, então, preenchidos, amados e recebidos, e ganhamos de Jesus os recursos para viver aquela nova vida caracterizada por uma nova criação.

Ao ser inseridos por Cristo nesse círculo, deixamos o antigo círculo, onde éramos dominados pela velha inclinação para o pecado, onde não tínhamos poder para amar como Deus desejava, por exemplo. Por isso, esse novo estado de criação só é possível quando saímos do círculo antigo e entramos no novo. Mas essa mudança de círculo ocorre apenas quando admitimos ser pecadores, isto é, quando admitimos que aquilo que praticamos desagrada a Deus, ainda que nos agrade. Esse reconhecimento gera um sentimento de necessidade de punição. É justamente aqui que entra Jesus. O pecado de cada um, incluindo o da prática da homoafetividade, foi punido em Jesus. Ao morrer na cruz, ele se permitiu ser punido para que nossos pecados pudessem ser perdoados. E, para que nossos pecados sejam perdoados, só precisamos admitir que somos pecadores e crer que o que Jesus fez na cruz foi suficiente para remover a culpa que temos por causa de nosso pecado. É isso que nos insere no círculo de Jesus. É isso que nos faz estar em Cristo.

Nessa altura da conversa, Cláudio fez uma pergunta crucial.

— Pastor, creio que estou entendendo. Quando confio em Jesus como meu Salvador, tem início uma nova vida e sou feito nova criatura. Anos atrás tomei essa decisão, mas...

66 Cristão homoafetivo?

Cláudio levou um tempo para completar a pergunta.

— ... meus desejos homossexuais continuam, e já por certo tempo estou vivendo "maritalmente" com um homem.

— Eu sei, Cláudio. Por isso precisamos continuar nossa conversa, agora com foco em outro texto: Romanos 7.

A luta entre a antiga vida e a nova: a questão dos sentimentos

O fato de estarmos em Cristo não nos tira a liberdade ou a possibilidade de fazer uma escolha entre obedecer ou não a Deus. Estando em Cristo, porque somos habitados pelo Espírito Santo, passamos a ter o poder de cumprir a vontade de Deus, mesmo quando não queremos, mas entendemos que seja a melhor decisão. Se quisermos obedecer a Deus e buscar no Espírito Santo o poder para obedecer, o pecado não terá domínio sobre nós.

É o que encontramos em Romanos 6.14: "O pecado não é mais seu senhor, pois vocês já não vivem sob a lei, mas sob a graça de Deus". Não é pelo fato de estarmos em Cristo que nossa luta contra o pecado terminou. Isso só acontecerá quando partirmos, pela morte, para estar definitivamente com Jesus ou quando nosso Salvador voltar. Entretanto, note a ênfase do texto em Romanos: o pecado já não é mais nosso senhor, pois estamos em Cristo. Mas, embora já não tenha o poder de nos dominar, nossa luta contra ele não terminou.

É isso que o apóstolo Paulo pontua em Romanos 7, especialmente nos versículos 14 a 24. Aquilo que ele sabe que era certo e deveria fazer é justamente o que ele não fazia, por causa da lei do pecado que ainda habitava nele, como ainda habita em nós. Quando fomos inseridos em Cristo, não perdemos a antiga natureza, mas ganhamos uma nova. Aquilo que no passado não era uma luta, agora torna-se um conflito, porque, como nova criação, passamos também a querer agradar a Deus e fazer a vontade dele.

Quando alguém é impelido pelo desejo sexual por pessoas do mesmo sexo ou pratica a homoafetividade, mesmo estando em

Cristo, passa por essa luta. Por ter sido criado à imagem de Deus e por estar em Cristo, tem o desejo de agradar a Deus, mas seus impulsos o direcionam para outro caminho.

O apóstolo Paulo não diz que tinha desejos homossexuais. Mas, com certeza, por causa da linguagem que adota, suas lutas eram em outras áreas — lutas tão ferrenhas como as do homoafetivo que deseja ser sério com Deus. Neste ponto, tanto o homoafetivo que luta contra a prática da homoafetividade como o heterossexual que luta contra a prática do sexo fora do casamento enfrentam as mesmas batalhas, se desejam agradar a Deus. É o próprio apóstolo Paulo que no contexto de sua luta diz: "Como sou miserável! Quem me libertará deste corpo mortal dominado pelo pecado?" (Rm 7.24). A resposta a essa pergunta está em Gálatas 5, onde, com outras palavras, Paulo repete o ensino de Romanos 7:

> Por isso digo: deixem que o Espírito guie sua vida. Assim, não satisfarão os anseios de sua natureza humana. A natureza humana deseja fazer exatamente o oposto do que o Espírito quer, e o Espírito nos impele na direção contrária àquela desejada pela natureza humana. Essas duas forças se confrontam o tempo todo, de modo que vocês não têm liberdade de pôr em prática o que intentam fazer.
>
> Gálatas 5.16-17

Existe uma luta no interior de quem quer honrar a Deus com o corpo e a mente. O desejo em si mesmo, seja do homoafetivo em relação a seu igual, seja do heterossexual pelo sexo fora do casamento, não é pecado. O heterossexual não possui um botão mágico que desliga nele o sentimento de atração sexual por outra mulher quando está longe da esposa. Deus nos fez pessoas sexuais. Para o homoafetivo, esse desejo sexual foi direcionado para a pessoa do mesmo sexo. No entanto, enquanto a questão se restringe à tentação, a batalha não foi perdida. A batalha

68   Cristão homoafetivo?

na mente de um heterossexual e na de um homoafetivo começa a ser perdida quando os desejos começam a ser fantasiados. Daí à concretização do ato que os sacia, a distância não é muito grande. E é justamente aqui que entra o ensino de Gálatas 5.

Em qualquer contexto, as inclinações ou a vontade não são pecaminosas se não cedemos espaço para a natureza pecaminosa. Quando uma pessoa está com fome e sem dinheiro para comprar comida, ela pode ter vontade de roubar a fim de satisfazer seu apetite. Até aí não se configurou o pecado. A luta começa a ficar perigosa à medida que o indivíduo elabora a ideia, pensa em como roubar e fantasia a alegria que o fruto do roubo lhe trará. O pecado começa a tomar corpo no desenvolvimento da fantasia, que finalmente se concretiza.

O processo é o mesmo quando se trata da inclinação ou do afeto sexual por uma pessoa do mesmo sexo. Estar em Cristo não elimina automaticamente as inclinações homossexuais,[2] mas, por ser nova criação e por ter iniciado uma nova vida, aqueles que têm desejos homossexuais e querem agradar a Deus podem, no poder do Espírito Santo, optar por viver de forma casta em razão da obediência ao Pai.

A vida de vitória sobre desejos sexuais pecaminosos vem somente quando se admite tais desejos e se busca depender do Espírito Santo para lidar com eles. É essa a contundente promessa do texto de Gálatas 5.16-17. Deixar que o Espírito guie sua vida significa admitir que temos desejos que contrariam Deus. Também significa que, se déssemos ouvidos a esses desejos, os satisfaríamos sem pensar em Deus ou no outro, mas apenas em nós mesmos. Essa é a diferença de estar em Cristo: quando nos lembramos de que temos a liberdade de escolher, por ter uma nova vida, resolvemos escolher o certo e buscamos o poder do Espírito para fazer essa escolha.

A essa altura da conversa, Cláudio pediu a palavra.

— Pastor, ajude-me a compreender como vivenciar isso. De que modo funciona realmente?

— Imagine que você está querendo transar com outro homem. Você sente o desejo e até mesmo começa a fantasiar uma relação. Nesse momento, precisa escolher o que Deus quer.

— Como?

— Admita para você mesmo e também para Deus: "Senhor, estou com vontade, mas sei que não aprovas. Vou parar aqui e afastar-me dessa pessoa, pois não quero pecar contra ti".

Quando falamos de vida guiada pelo Espírito, ou cheia do Espírito, em nenhum momento a Bíblia diz que o Espírito nos livra das lutas. O que ele faz é nos capacitar para lutar com as armas dele. Podemos obter vitória sobre os pensamentos ou as inclinações pecaminosas quando somos tentados e buscamos, no poder do Espírito, deixar de pensar na fantasia e, consequentemente, fugimos da prática.

As inclinações afetivas por uma pessoa do mesmo sexo não desfazem a identidade que se tem em Cristo. Quando alguém recebe Jesus como seu Salvador, ser de Cristo passa a ser sua identidade. E, por estar em Cristo, a pessoa tem os recursos para viver de forma vitoriosa, apesar das tentações que sofre.

Quando as inclinações se tornam prática

Nesse ponto da conversa, Cláudio voltou a comentar com o pastor que havia compreendido a questão das inclinações e dos sentimentos, mas relembrou que estava vivendo sexualmente com um homem. Mas o pastor lembrou-o de que não haviam terminado a conversa. Faltava um ponto crucial.

Infelizmente, muitos seguidores de Jesus preferem ouvir a sabedoria do mundo a ouvir a sabedoria de Deus. A cultura tem procurado incutir na mente das pessoas que a homoafetividade é um caminho alternativo ao plano de Deus para um relacionamento homem e mulher. Acrescentam ainda a ideia de que todos merecem ser felizes e que Deus é amor. Se Deus é amor, ele deve querer que as pessoas se amem, mesmo quando esse amor é entre pessoas do mesmo sexo. Assim, esse conceito tem sido aceito

70 Cristão homoafetivo?

por pessoas que se dizem seguidoras de Jesus e confundido até algumas igrejas.

Mesmo um seguidor de Jesus homoafetivo não está imune a cair numa relação sexual homoafetiva, da mesma forma que muitos heterossexuais sucumbem às tentações extraconjugais. Quando esse é o caso, ele precisa lidar com seu pecado. Certamente, não se trata de um caso isolado de pecado. Tudo o que está envolvido em uma relação homoafetiva é por demais complexo, e não é nosso papel julgar quem quer que seja. Ao mesmo tempo, porém, não podemos abrir mão da verdade bíblica. Um adultério não revoga a vida nova que alguém iniciou em Cristo. Mas um adultério não tratado entristece o Espírito de Deus, que habita naquele que segue Jesus.

Quando desobedecemos a Deus, em qualquer circunstância, entristecemos o Espírito Santo, porque ele é o recurso que o Senhor nos concede para enfrentar o pecado, que nos confronta, nos pressiona e nos atiça fortemente para fazer não a vontade divina, mas a nossa. Quando pecamos, escolhemos não usar esse recurso. Muitas vezes passamos por um sofrimento do qual poderíamos ser poupados simplesmente porque não escolhemos confiar no Espírito para nos capacitar a vencer a tentação.

Se cedemos perpetuamente às pressões do pecado, nos colocamos em uma posição passível da disciplina de Deus. E isso faz sentido, pois sabemos que o Pai disciplina aquele a quem ama. Quando o pecado se torna contínuo, um estilo de vida, é natural que Deus, que ama seus filhos, queira esse filho de volta aos caminhos dele. Se o filho de Deus vive roubando, fofocando, mentindo, adulterando e nunca se arrepende do erro, é natural que se torne passível da disciplina divina. E por que Deus exerce a disciplina? Porque ama seus filhos, e é por essa ação disciplinar que ele mostra sua graça. Se Deus não os disciplinasse, o erro desses filhos os levaria à morte ou traria mesmo outras consequências funestas.

Acaso vocês se esqueceram das palavras de ânimo que Deus lhes dirigiu como filhos dele?

Ele disse: "Meu filho, não despreze a disciplina do Senhor; não desanime quando ele o corrigir. Pois o Senhor disciplina quem ele ama e castiga todo aquele que aceita como filho". Enquanto suportam essa disciplina de Deus, lembrem-se de que ele os trata como filhos. Quem já ouviu falar de um filho que nunca foi disciplinado pelo pai? Se Deus não os disciplina como faz com todos os seus filhos, significa que vocês não são filhos de verdade, mas ilegítimos.

Hebreus 12.5-8

Em razão de seu amor, Deus não nos quer enveredando por caminhos que podem nos levar a dores físicas e emocionais capazes de minar nossa alegria de viver. Por isso ele intervém. O Senhor interfere quando nossas práticas nos afastam dele. É o "açoite amoroso": Deus, em sua soberania, escolhe nos açoitar da forma que ele sabe que produzirá o efeito que deseja. O Senhor não tem uma tabela de disciplina de acordo com o pecado cometido. No entanto, uma das formas de correção mais terríveis que Deus pode impor a um filho é deixá-lo escolher ou continuar escolhendo um estilo de vida que o desagrada e, ainda, permitir que esse filho arque com as consequências de sua escolha, sem a ajuda divina.

No contexto da homoafetividade, o ser, o sentir e o fazer se entrelaçam. Quando o homem opta por uma vida homoafetiva, esse pecado danifica a imagem de Deus nele. Mas, quando esse homem decide crer em Jesus, ele inicia uma nova vida e é feito nova criação. Os sentimentos sexuais por pessoas do mesmo sexo podem não desaparecer, mas agora ele terá os recursos para não ser dominado por eles e cair no pecado. Esse é o fator *sentir*.

Com certeza, um dos aspectos mais significativos da nova identidade de quem está em Cristo é que a pessoa passa a ser filha de Deus, uma identidade que não é afetada pelo que ela faz ou pratica. Assim foi com o ladrão que morreu na cruz ao lado de Jesus, assim é com o corrupto que se arrepende e decide seguir Cristo, assim é com o homoafetivo que também resolve seguir Jesus. Dessa forma, quando um cristão que tem atração por outra pessoa do mesmo sexo cai em tentação, ele não perde sua identidade em Cristo. Essa pessoa pode ter agido como um homoafetivo, mas não deixou de ser filho de Deus.

Reconhecemos que vários fatores contribuem para que uma pessoa viva de forma homoafetiva, mas nenhum deles é determinante para sua vida. Todos sempre têm a possibilidade de escolher viver de modo que não contrarie a natureza que Deus incutiu em cada um de nós. No entanto, quando essa natureza é violentada, a pessoa sempre tem em Cristo a possibilidade de voltar a viver de modo saudável, de acordo com a criação de Deus. Esse é o fator *fazer*.

Em poucas palavras, uma pessoa que segue Jesus pode sentir atração por outra pessoa do mesmo sexo, mas, porque foi feita nova criação em Cristo, ela tem como vencer esses sentimentos. Caso tais sentimentos não sejam tratados com base na graça e no poder do Espírito Santo, ela poderá vivenciar a prática da homoafetividade que escolheu. Mas, se é uma verdadeira seguidora de Jesus, por amor a ela, Deus pode discipliná-la, a fim de trazê-la de volta ao caminho de um vida que glorifique o Senhor. É importante ter em mente, no entanto, que a identidade real de um seguidor de Jesus está em Cristo, e não no que faz ou sente.

Cláudio agradeceu a explicação do pastor, mas fez um comentário.

— Ainda estou confuso. Tenho duas perguntas.

— Quais?

— A primeira é: Com toda essa minha luta interior com a homoafetividade, como será que Jesus me vê?

— E a segunda?

— Ainda não estou convencido de que é incoerência dizer que sou cristão e sou homoafetivo. Como posso lidar com isso?

— Excelentes perguntas. Já chegaremos lá. Em nosso próximo encontro falaremos sobre como Jesus lidou com os excluídos, isto é, aqueles que eram rejeitados pela cultura, e com os que procuravam se impor à cultura da época, mesmo sabendo que não eram bem vistos, e até por isso agrediam os costumes como uma forma de autodefesa.

Como será que Jesus lidaria com um homoafetivo que quisesse aproximar-se dele?

3 | JESUS E OS EXCLUÍDOS

Como Cristo trataria um homoafetivo?

Cláudio chegou ao encontro seguinte com expectativa. Ele trazia consigo as duas perguntas importantíssimas que ficaram por responder: "Com toda essa minha luta interior com a homoafetividade, como será que Jesus me vê?". E "Ainda não estou convencido de que é incoerência dizer que sou crente e homoafetivo. Como posso lidar com isso?". O pastor procurou focar na primeira pergunta, pois, compreendendo como Jesus lida conosco e com nosso pecado, Cláudio conseguiria lidar melhor com a segunda.

Não há nos evangelhos nenhum registro de que Jesus tenha encontrado um homoafetivo, mas temos vários registros de como ele tratou pessoas que faziam parte de uma classe excluída. A Bíblia nem sempre trata de um assunto especificamente, como é o caso, por exemplo, da inseminação artificial, mas sempre traz princípios que instruem como tratar do tema. Assim também é sobre Jesus e a homoafetividade — ou a Bíblia e o homoafetivo. Jesus não lida com essa questão especificamente nas Escrituras, mas há princípios que se aplicam a ela.

No que se refere aos excluídos, havia na sociedade israelita do primeiro século uma grande rejeição que mesclava sentimentos de amargura, inferioridade e justiça autoimposta. Mas em nenhum momento o ser humano deve ser visto como vítima da sociedade, pois por ter sido criada à imagem de Deus qualquer pessoa é capaz de lidar com as cruezas da vida de maneira que não seja escravizada por elas. Mesmo aquele que rouba, por maior prazer que tenha ao roubar, não se delicia com o fato de viver sendo perseguido. O que vive uma vida adúltera, por mais prazer que o sexo proibido lhe traga, sofre por perceber que as dores da alma não são curadas com mais um relacionamento furtivo. Mas o sofrimento, imposto ou autoimposto, do excluído não o escusa de seu pecado. Ele não pode se enxergar ou querer ser enxergado pela sociedade — muito menos por Deus — como vítima e usar isso como justificativa.

Mas esses acontecimentos não eram privilégio da sociedade israelita do primeiro século. Esse tipo de rejeição também é percebido hoje quando analisamos a imagem que a sociedade tem, por exemplo, de muitos grupos homoafetivos e, em alguns casos, que eles próprios têm de si. Com isso, sofre o homoafetivo que deseja seguir Jesus com seriedade. Mas também sofre o heterossexual se não souber usar a sua sexualidade da forma como Deus desenhou e, como falamos, o sofrimento do excluído não o escusa do seu pecado. Qual é a solução então? A solução está em Jesus. Ele veio para lidar com o pecado. Mas não só isso. Ele veio para reconstruir o oprimido, o cansado e o quebrado, desde que essa pessoa queira sua ajuda (cf. Lc 4). Aí está a chave. Cristo veio e morreu pelo pecador e, por essa razão, pessoas quebradas emocional ou espiritualmente podem ter sua vida reconstruída.

Jesus acolhe os excluídos

Por acolher os excluídos da sociedade, Jesus foi duramente criticado. Foi, por exemplo, chamado de "comilão" e "beberrão", porque se sentava com pecadores para comer e beber. Foi criticado pelos fariseus, pois estava "se misturando" com os cobradores de impostos. Eles serviam ao Império Romano, eram corruptos, pois cobravam propinas e por isso eram vistos como traidores dos judeus e rejeitados pela sociedade.

No entanto, ao conviver com ladrões, falsificadores e prostitutas, Jesus não estava dizendo que aprovava o estilo de vida deles, e sim que os aceitava como eram e estava ali para oferecer a graça de Deus.

Essa graça, porém, pressupunha o arrependimento. O estilo de vida daquelas pessoas demandou a morte de Jesus. Em nenhum momento, Cristo quis dizer que aprovava o comportamento pecaminoso daquelas pessoas, mas que, se aqueles pecadores quisessem mudar, Jesus era o caminho da mudança.

Jesus acolheu a excluída pelo adultério (Jo 8.1-11)

João registrou um episódio muito significativo da vida de Cristo. Ele relata que um grupo de homens religiosos levou até Jesus uma mulher flagrada em adultério. Eles queriam que o Senhor ordenasse o apedrejamento dela, para acusá-lo de insensível ou vingativo. Se ele não apoiasse o que a Lei judaica prescrevia como punição para esse tipo de pecado, seria visto como desobediente e teriam ainda mais acusações contra ele.

Mas Jesus não entra no jogo. Ele age com sobrenaturalidade ao dizer: "Aquele de vocês que nunca pecou atire a primeira pedra" (v. 7). Aos poucos, os acusadores vão embora e a mulher acusada de adultério fica sozinha com ele. É quando o Senhor, em vez de usar palavras de encorajamento como: "Eu entendo você. Pessoas só criticam e rejeitam, não é?", firme, mas amorosamente, a acolhe, dizendo: "Vá e não peque mais" (v. 11). Sim, Jesus acolheu aquela pessoa excluída, mas também a confrontou com o pecado dela e a encaminhou para uma nova vida. E o fez de forma amorosa e firme.

Os homossexuais estão ao alcance dessa mesma graça, uma graça que está sempre pronta a abraçar todo aquele que quer ser abraçado por ela. Mas não se trata de uma graça barata. Ela é concedida a quem reconhece a necessidade de mudanças e que

78 Cristão homoafetivo?

precisa de alguém que lhe dê sentido à vida. Esse alguém é Jesus, somente ele.

Lembre-se: O preço que Cristo pagou para que pudesse lidar com o pecado e acolher o excluído foi a morte na cruz.

Jesus acolheu o excluído pela corrupção (Lc 19.1-9)

Jesus acolheu o corrupto Zaqueu, cobrador de impostos odiado pelos moradores de Jericó. Aquele cidadão era tão excluído que não podia ter certos privilégios, como integrar um júri popular — pois, como cobrador de impostos, tinha uma reputação reprovável. Zaqueu podia ter uma conta gorda no banco, mas também era dono de um sentimento de rejeição profundo. Tanto que se achava indigno de falar com Jesus, o que o levou a tentar vê-lo de longe, em cima de uma árvore, porque era de baixa estatura.

Zaqueu sofria, mas seu sofrimento não o fazia menos responsável por seu pecado. No entanto, Jesus estava mais à procura dele do que ele à procura de Jesus. Do meio da multidão, o Senhor o vê no alto da árvore. Talvez ninguém mais enxergasse Zaqueu, porque, na realidade, somente Jesus consegue trazer para si o rejeitado da forma como ele é e está. O rejeitado causa desconforto para si e para os outros, por isso vive em um gueto.

O homoafetivo também vive em um gueto. Um gueto muitas vezes interior, até porque ele mesmo, muitas vezes, não se aceita. Por isso grita, pedindo direitos iguais ou privilégios que muitas vezes não fazem sentido. No fundo, esse grito é um apelo, como se estivesse dizendo para o mundo: "Por favor, me ame, me aceite como sou!".

Para surpresa de Zaqueu, Jesus se convidou para estar com ele em sua casa. Com isso, o Mestre foi totalmente paradoxal: quebrou um costume cultural, pois, no Oriente, só se convida para entrar na casa de alguém aquele que é muito íntimo do anfitrião. Como Jesus poderia ser íntimo de um rejeitado como Zaqueu? Isso é fruto da graça.

A história termina com uma transformação de vida. Ao ser acolhido por Jesus, o mesquinho e corrupto Zaqueu tem sua vida transformada. Em vez de mesquinhez, entrega metade de seus bens aos pobres. Em vez de corrupção, devolve quatro vezes mais aquilo que havia roubado. Muitas vezes o homoafetivo se esconde — por se sentir perseguido ou por causa da culpa. Muitos sobem em árvores, procurando ser ouvidos ou vistos.

Muitas vezes os gritos por socorro são tomados como expressão de arrogância. Mas o que se poderia esperar de um pecador? De qualquer pecador, aliás, como todos nós somos? Jesus é o único que, amorosamente, ouve o grito do homoafetivo, do adúltero, do corrupto. Primeiro ouve o grito, depois acolhe-o e, por fim, o transforma. Jesus discerne quando o grito é um honesto pedido de socorro ou um grito de imposição, do tipo que diz: "Eu sou assim, quero ser assim e me aceitem como sou!".

Para lidar com esse pecado e acolher o excluído por causa da corrupção, o preço foi a morte graciosa de Cristo na cruz. A graça não é barata, mas é dada àquele que crê e se arrepende.

Jesus acolheu a excluída por sua etnia, moralidade e espiritualidade (Jo 4.1-42)

Jesus poderia ter escolhido outro caminho para a Galileia, mas ele sabia que certa mulher, rejeitada, precisava do seu acolhimento. Por isso, ele opta por passar por Samaria. Os judeus não tinham boas relações com os samaritanos em razão de questões étnicas e religiosas.

A questão étnica era resultado da mistura de judeus com outros povos, o que, aos olhos dos israelitas de então, significava contaminação e impureza. Quando o Reino do Norte (Israel) foi vencido pelos assírios, os conquistadores levaram pessoas de diferentes nacionalidades para viver na região de Samaria. Essa miscigenação feriu o orgulho judaico e, por isso, os samaritanos eram considerados cidadãos de segunda classe. Além disso, os samaritanos não tinham como sacrificar a Deus, porque o templo

80 Cristão homoafetivo?

estava em Jerusalém, e eles não teriam acesso ao templo, mesmo se quisessem. Como agravante, essa mulher era adúltera, pois, de acordo com o texto, ela estava vivendo com o sexto "marido".

Como Jesus poderia conversar com alguém assim? Havia muitos problemas que impediriam esse contato. Primeiro, por se tratar de alguém do sexo feminino em uma época em que os rabinos diziam que a mulher não tinha alma e como tal era considerada uma pessoa de segunda classe. Segundo, seu estilo de vida não condizia com os preceitos da religião judaica, o que gerava preconceito religioso contra ela. Terceiro, seu povo era menosprezado. Quarto, era uma mulher de má fama.

Os homoafetivos muitas vezes também são vistos por esse paradigma. Imagina-se que eles só pensam em sexo e são promíscuos, como ocorria com aquela mulher. Segundo, a Igreja, por causa da sua "pureza", não poderia acolher um homoafetivo, da mesma forma que a religião judaica considerava impura aquela mulher. Jesus, porém, passa por cima de todos os preconceitos da época e senta-se com ela, primeiro acolhendo-a e depois promovendo sua transformação.

A samaritana deixa Jesus e vai à cidade contar que havia encontrado o Messias. Por causa da transformação que Jesus promoveu em seu coração, ela segue com destemor para a comunidade em que provavelmente também era rejeitada. Naquele momento, ela não se via mais como rejeitada, mas como alguém acolhido por Jesus. Como resultado, ela proclama o amor do qual havia sido alvo.

Para lidar com o pecado daquela mulher e acolher o excluído por causa da promiscuidade, da etnia e da falsa espiritualidade, o preço foi a morte graciosa de Jesus na cruz. A graça é concedida para o rejeitado que for, quando ele crê que Jesus o ama incondicionalmente.

Jesus acolheu o excluído que era imutável (Lc 8.26-38)

Certa vez, Jesus se dirigiu a uma cidade do lado oposto ao mar da Galileia, à região dos gadarenos. Lá estava um homem endemoninhado e inconveniente: ele não vivia em casa, em vez disso habitava entre os sepulcros. Aquele pobre homem tampouco usava roupas, mas andava despido pela cidade. Some-se a isso um poder tremendo concedido pelos demônios, o que o fazia quebrar até mesmo correntes com as quais tentavam prendê-lo. Nada nem ninguém conseguiam mudar seu jeito de ser.

Do mesmo modo que aquele homem, muitas vezes os homoafetivos são vistos como imutáveis e inconvenientes. Talvez uma postura inconveniente seja o que alguns — não todos — adotam em público. Talvez sejam rejeitados porque costumam quebrar regras de comportamento politicamente corretas. Se fizermos um paralelo com o texto, talvez possamos dizer, figuradamente, que a rejeição do endemoninhado está na quebra das correntes. E, em algumas circunstâncias, pessoas atribuem a homoafetividade a uma possessão demoníaca.

Mas Jesus estava ali para ouvir o clamor daquele homem. Ele o liberta de sua prisão espiritual e, depois do toque de Cristo, o homem se assenta aos pés do Mestre, vestido e em sã consciência (Lc 8.35). Esse mesmo homem, antes temido, evitado e rejeitado pelo tumulto que causava na cidade, agora está transformado e recebe de Jesus um grande desafio. O Senhor o comissiona para contar na cidade o que lhe havia acontecido. O homem lhe obedece.

Aquele cidadão era prova viva do toque transformador de Cristo. Nada nem ninguém conseguiam mudá-lo, mas nas mãos de Jesus nenhuma vida é imutável. E aquele que era, aparentemente, imutável torna-se porta-voz do poder transformador de Deus. Não existe homoafetivo que, ao se render a Jesus, não tenha sua vida transformada em uma evidência viva do poder reconstrutor do Filho de Deus.

Jesus mudou o imutável. Para lidar com o pecado e acolher o excluído por causa da vida inconveniente, imprópria para a sociedade onde vivia, o preço da liberdade foi a morte graciosa de Jesus na cruz.

A graça não é barata, mas é concedida a quem crê, mesmo para aquele que se considera sem esperança.

82 Cristão homoafetivo?

Jesus acolheu o excluído pela falta de fé (Jo 20.26-30)
Tomé era um dos doze apóstolos de Jesus. Mesmo tendo andado três anos com ele e visto tantos milagres e manifestações do poder de Deus, Tomé não creu em Jesus — o que abalava a confiança no poder do Mestre. Tomé é aquele típico exemplo de pessoa que diz e fala sobre quem Jesus é e faz, mas, quando precisa realmente crer no que diz, sua confiança se mostra fraca e sem fundamento.

Muitas vezes o homoafetivo que realmente quer seguir Jesus e luta com seus conflitos morais não o busca na hora em que precisa do seu poder e fica esperando evidências intelectuais desse mesmo poder.

Tomé não estava presente quando Jesus se apresentou aos discípulos após a ressurreição. Ao ouvir dos amigos que o Senhor havia ressuscitado, Tomé disse que só creria se tocasse nas feridas feitas no ato da crucificação. De uma perspectiva humana, essa reação foi decepcionante. Todos os outros dez apóstolos já haviam acreditado. Por três anos, Tomé vira o poder de Jesus em ação e, nesse momento, todo aquele investimento de Jesus na vida dele pareceu ter sido em vão.

Jesus não desiste daqueles que ele ama e que o questionam. Em vez de rejeitar Tomé, Jesus manda que ele toque nas feridas da cruz. O Senhor convida Tomé a estender a mão e tocar naquilo que foi a marca do perdão de Jesus sobre os pecados da humanidade, o que incluía Tomé.

Jesus exorta Tomé porque ele não havia acreditado no que o Mestre tinha dito, mas, em vez de rejeitá-lo por sua falta de fé, Jesus fortalece a fé do discípulo, trazendo-o para perto dele. A graça não deixa de confrontar o erro, mas reconstrói quem errou. Os homoafetivos lutam com a descrença. Às vezes, o diabo os engana fazendo-os crer que aquele estilo de vida é o único que os pode satisfazer. No entanto, quando a frustração lhes bate na alma e a busca por algo novo que nem sabem o que é os frustra, eles precisam crer que Jesus morreu por eles e que ressuscitou. O Salvador quer dar-lhes evidências de que podem crer nele e ter sua vida transformada. Para lidar com a falta de fé de Tomé e acolher o excluído por causa dessa incredulidade, o preço do perdão foi a morte graciosa de Jesus na cruz.

A graça não é barata, mas é concedida a quem crê, mesmo àquele que tem dificuldade de crer, mas dá-se tempo para isso.

Jesus acolheu o mais excluído de todos (Mc 1.40-45)

Nos tempos de Jesus, o leproso era a pessoa mais excluída entre os excluídos. Ele era rejeitado pela sociedade porque sua aparência gerava uma espécie de náusea. Muitas vezes uma espécie de líquido saía da face ou das partes afetadas pela doença, o corpo perdia a sensibilidade e os leprosos acabavam perdendo parte dos membros. Muitos tinham as orelhas despedaçadas pela doença, parte do nariz desaparecia e coisas do gênero. Mas havia outra razão para serem excluídos: acreditava-se que a lepra era resultado do pecado.

Nem sempre era assim, mas o leproso suscitava nas pessoas uma pergunta: "O que será que ele fez para ser punido dessa forma?". Talvez esse tipo de rejeição seja o mais terrível, por ser visto pelas pessoas com questionamentos sobre seu procedimento. Além disso, o leproso não podia ser tocado, por isso perdia a alegria de ser abraçado pelo cônjuge e pelos filhos e amigos, uma vez que era considerado sujo, doente e impuro.

Os leprosos precisavam viver em comunidades de pessoas como eles, distantes da família, por receio do contágio e também por questões religiosas. Eram considerados imundos. Quando entravam em alguma cidade, precisavam gritar "Impuro! Impuro!", a fim de que as pessoas pudessem se afastar deles. Em resumo, os leprosos eram fadados a viver em completo isolamento e a amargar a rejeição como um estilo de vida. Não é difícil imaginar as feridas emocionais que cada um carregava. Eram obrigados a conviver com a rejeição da sociedade e da família. Eram considerados incapazes para uma vida religiosa, uma vez que a lepra era considerada sinal de pecado.

Com certeza, esse é, em parte, o sentimento de muitos homoafetivos. Eles são vistos como impuros, evitados em determinados lugares e taxados como os mais terríveis pecadores. Por isso, se isolam e tendem a viver em "guetos modernos", porque muitos põem uma interrogação na testa.

Mas até na vida de um leproso Jesus intervém, conforme narra o evangelista Marcos. Aquele homem acometido pela lepra apresentou-se ao Senhor completamente destituído de qualquer valor pessoal. Por já ter ouvido sobre Jesus e sabendo do poder dele, o homem diz ao Mestre: "Se o senhor quiser, pode me curar e me deixar limpo" (v. 40).

A expressão do leproso ao falar com Cristo mostra uma preocupação com seu interior. Ele não pediu uma cirurgia plástica relâmpago, tampouco para voltar a ser elegante como no passado e ser admirado pelas pessoas. Nada disso. Ele pediu algo profundo: ficar livre de sua impureza, o âmago do problema.

Sim, Jesus quer purificar o homoafetivo, o ladrão, o adúltero, o mentiroso, o viciado em pornografia, o orgulhoso, o avarento, o que desonra pai e mãe e o praticante de todo tipo de pecado. O Senhor estava acolhendo o mais rejeitado dos rejeitados porque ele não faz distinção de pecadores. Ele sempre ouve o grito sincero daquele que reconhece: "Estou sujo pelo pecado, mas, se o senhor quiser, pode me curar e me deixar limpo". E, sim, Jesus o curou.

Mas Jesus o curou não apenas da lepra. O texto nos diz que o Senhor *tocou* o leproso. Ele poderia apenas ter dito ao leproso "sim, quero, fique limpo". Afinal, Jesus é Deus, e uma simples palavra dele teria curado o leproso. Mas Jesus quer ir além e tocar não somente o corpo das pessoas, mas reconstruir o que o pecado tem destruído. Por isso, em vez de apenas falar, ele toca o leproso. Era como se Jesus apertasse em determinado local do corpo daquele homem, não apenas com um leve toque. A ideia do verbo usado por Marcos comunica algo como um aperto de Jesus naquele corpo doente.

Depois de muitos anos, o leproso foi tocado novamente. Ele não só ouve a voz amorosa de Jesus, mas sente o toque rejuvenescedor e reconstrutor do amor de Deus. Aquele toque cura as feridas emocionais da rejeição e do abandono. O homem fora tocado não por um simples amigo, mas pelo Rei dos reis, pelo Criador do universo, pelo próprio Deus.

O pecado da prática homoafetiva gera rejeição e dores emocionais. Pior que isso, o homoafetivo muitas vezes vive em culpa. Mas Jesus nunca olha para um excluído como se não houvesse cura para ele. Em vez disso, sem distinção, achega-se, acolhe e toca todo aquele que diz "se o senhor quiser, pode me deixar limpo".

E Jesus purifica. Limpa. A expressão utilizada pelo leproso carregava a ideia de alguém cansado da vida, da rejeição, das dores da alma, da falta de esperança. Mas ele encontra em Cristo o recomeço, a emenda para a alma rasgada, o toque da reconstrução do seu ser.

O mais excluído dos excluídos encontrou esperança, cura para a alma e a perspectiva de um recomeço. Não há excluído a quem Jesus não queira expressar seu amor incondicional, desde que ele ouça "se o senhor quiser, pode me deixar limpo".

O preço da liberdade do leproso foi a morte graciosa de Jesus na cruz. A graça não é barata, mas é concedida a quem crê.

Jesus acolheu aquele que não quis ser acolhido
(Lc 18.18-27)

As histórias que vimos até agora foram relatos significativos de pessoas excluídas socialmente, mas acolhidas por Jesus. Esse acolhimento baseou-se totalmente em sua graça, e não no mérito ou no valor daquelas pessoas. Esse é um dos traços mais significativos do amor de Jesus por nós.

Por amor, Cristo escolheu viver neste mundo abrindo mão de todas as vantagens, da segurança e do poder que tinha antes de haver se tornado homem, como cada um de nós. Ele não deixou de ser Deus, mas, ao viver entre nós, foi tentado e testado em tudo o que somos. Por isso, ele pode nos compreender. Foi perseguido, mal interpretado, abusado, desprezado, rejeitado. Por causa disso, ele também entende de todo tipo de dor que o ser humano enfrenta, seja a dor emocional, seja a espiritual, seja a física.

Por essa razão, Jesus pôde entender a mulher adúltera, Zaqueu, a samaritana, o leproso, Tomé e tantos outros. Muitos rejeitados se dirigiram a Jesus do jeito que estavam e foram acolhidos e transformados pelo Senhor, e a vida deles ganhou, assim, um novo significado.

Não é disso que todos precisamos? Não é isso que o homoafetivo que deseja seguir Jesus, mas luta com sua sexualidade, também anseia? Todos queremos ser acolhidos e amados incondicionalmente, mas só Cristo pode nos acolher e amar dessa forma. No entanto, apesar de ter acolhido tantos com vida marcada por dores emocionais e físicas, a Bíblia relata o caso de uma pessoa que não quis ser acolhida por Jesus: o homem rico.

O texto bíblico nos diz que ele era realmente rico em termos materiais. Até certo ponto, a sua riqueza não o havia cegado para as coisas espirituais, porque ele foi a Jesus justamente para discutir sobre sua salvação. Aparentemente, ele não tinha nenhum grande problema, diferentemente das pessoas que analisamos neste capítulo. Porém, na verdade, seu problema era mais profundo.

Aquele homem aproxima-se de Jesus com uma pergunta muito espiritual. Ele quer saber o que precisava fazer para herdar a vida eterna. Quando a Bíblia fala sobre vida eterna, se refere a uma vida para sempre com Jesus; significa um novo estilo de vida, iniciada quando alguém entende que é pecador e reconhece, pela fé, que somente Jesus pode perdoar os seus pecados. Esse novo estilo de vida tem como foco agradar a Deus e desfrutar de todos os benefícios desse novo relacionamento com ele. Ao mesmo tempo, implica a compreensão de que só se pode herdar a vida eterna mediante o poder de Jesus, concedido por meio do Espírito Santo, que vem habitar naquele que passou a desfrutar dessa mesma vida.

A pessoa em questão entende perfeitamente que nada do que faça pode perdoar seus pecados ou reconciliá-la com Deus. O perdão não pode ser comprado, pois de Deus nada se compra, apenas se recebe. O Senhor nos oferece perdão para todos os nossos pecados, por meio de Cristo, quando nos reconhecemos pecadores e admitimos nossa impotência de lidar com o pecado. Aquele homem, porém, aproximou-se de Jesus achando-se perfeito e que só precisava de uma homologação de Jesus para essa vida perfeita.

Segundo suas palavras, o homem cumpria os mandamentos, como um típico religioso. Mas Jesus conhecia o coração dele e, por isso, disse-lhe que lhe faltava apenas mais uma coisa para ganhar a vida eterna: "Venda todos os seus bens e dê o dinheiro aos pobres. Então você terá um tesouro no céu. Depois, venha e siga-me" (v. 22). A narrativa continua, e tomamos conhecimento de que aquele jovem retirou-se, triste, da presença de Jesus, pois possuía muitas riquezas. O que podemos extrair dessa história, no contexto do nosso tema sobre homoafetividade?

Primeiro, aquele homem não se via em necessidade de uma intervenção de Jesus. Ele estava satisfeito com sua vida e supunha que seus bens materiais lhe bastavam.

Segundo, ele não foi capaz de perceber que suas riquezas se tornaram um deus para ele. Daquelas riquezas o homem tirava seu valor pessoal. Em outras palavras, seu deus provia uma identidade passageira que ele não cogitava um dia poder perder.

Essa é uma das armadilhas mais fatais em que o ser humano pode cair: a ideia de que, se aquilo a que se está agarrando é perdido ou abandonado, a vida perde o sentido. Pior ainda, a dor oriunda do abandono desse estilo de vida gerará algo insuportável e infernal. Por certo tempo, a estrutura mental da pessoa é enganada e, assim, um deus é construído nela e, mesmo sem

88 Cristão homoafetivo?

adorar uma imagem de madeira ou pedra, ela se torna idólatra dela mesma ou do seu estado ou situação.

Da mesma forma, a homoafetividade pode se tornar um deus na vida do homoafetivo. Isso acontece quando a pessoa imagina que só consegue ser feliz abraçando o estilo de vida homoafetivo, pois ele lhe satisfaz a fome de ser amada ou a faz sentir-se importante. O mesmo pode ocorrer com o heterossexual que vive de modo promíscuo e rejeita abandonar esse estilo de vida, pensando que, ao fazê-lo, poderia se tornar vazio e incompleto, quando, na verdade, está perdendo a alegria de descobrir que existe algo mais importante que sexo.

Quando a pessoa está em Cristo, ela pode descobrir satisfação na vida ainda que sinta falta de algo que lhe dava prazer. Ela é capaz de escolher entre a autossatisfação e a satisfação de agradar a Deus, entre aquilo que concede falso contentamento e o que de fato satisfaz a alma.

Aquele homem construiu um deus dentro de si; no caso, o deus da riqueza. Jesus não lhe disse que ser rico era pecado, mas para aquele homem a riqueza era um deus e, portanto, para que sua vida tivesse significado, ele precisava trocar aquela divindade pelo Deus verdadeiro. Quando o homem percebeu que poderia perder tudo aquilo, sua segurança ficou ameaçada. Ele não foi capaz de correr para Jesus e talvez dizer: "Estou vendendo tudo o que tenho, mas o senhor me ajuda a lidar com a dor da perda?".

Esse problema também acontece com heterossexuais que vivem na promiscuidade ou que vivem de fraudes financeiras, por exemplo. Fraudes, sexo, mentira, inveja, preguiça, pornografia e tantos outros pecados se tornam deuses e, ao pensar em abandonar tais práticas, essas pessoas têm medo da dor que sofrerão. Sim, dores virão, mas o Salvador entende de dor e quer libertar todos da dor, que será mais profunda, no futuro, se permanecerem no estilo de vida desordenado que escolheram para si.

Terceiro, aquele rapaz imaginava que o mais importante era *ter* do que *ser* aquilo que Jesus queria lhe oferecer.

Finalmente, quando alguém deixar de enxergar que Jesus tem sempre o melhor, está demonstrando orgulho. Jesus queria acolher aquele homem, mas ele escolheu não ser acolhido.

Muitas vezes essa é a experiência dos homoafetivos. Muitos se consideram satisfeitos com o que têm e não querem admitir que alguma coisa lhes falta. Quando o admitem, o caminho escolhido para descobrir o que lhes falta é o da justiça própria, pois se julgam sábios o suficiente para lidar com suas dores, e não buscam ajuda divina. Abandonar a agenda homoafetiva parece algo difícil de fazer, pois implicaria admitir que eles estavam errados. E aí está outro engano. Como vimos no capítulo anterior, a homoafetividade é estado, e não identidade de alguém, portanto pode ser abandonada.

Aquele homem preferiu seguir em sua felicidade passageira, e não buscar em Jesus o caminho da liberdade interior que somente ele poderia oferecer. Por isso, saiu muito triste da presença do Senhor. Essa não precisa ser a história de nenhum homoafetivo, se ele buscar em Jesus os recursos para lidar com seus conflitos interiores. Sim, todos os outros escolheram ser acolhidos por Jesus, mas apenas um optou por seguir o próprio caminho e, por causa disso, perdeu a grande alegria de descobrir o poder da graça de Cristo.

A história do homem rico traz à tona uma das situações mais delicadas na vida de um homoafetivo ou de qualquer pessoa que, mesmo ciente, se mostra reticente quanto ao que lhe falta. Mais grave é quando a pessoa está ciente daquilo que lhe falta, de que Jesus é capaz de supri-lo, mas se recusa a preencher o vazio em Cristo.

Não sabemos se o final da história aconteceu ali mesmo. Desconhecemos se aquele rapaz mais tarde voltou a falar com Jesus. Mas a história final de quem quer que seja não precisa ser assim, muito menos a daquele que luta com a homoafetividade. O problema é que o rapaz poderia ter sido acolhido por Jesus, ver o deus de sua vida derrotado e, assim, encontrar o verdadeiro Deus.

A graça é muito cara para ser rejeitada.

A diferença entre o homem rico e os demais

Existem diferenças enormes entre as histórias daqueles que foram acolhidos por Jesus e a história do homem que preferiu permanecer distante dele. No entanto, vamos tratar de apenas duas delas, que se referem a *transformação* e *arrependimento*.

Como vimos, Jesus acolheu todo tipo de pessoas excluídas. Assim foi com o leproso, a adúltera, a promíscua, o corrupto, o religioso e outros que não listamos. O toque de Cristo nessas pessoas gerou frutos. Seu acolhimento não visa apenas a resolver o problema do indivíduo e fazê-lo sentir-se bem ou completo. Vai muito além disso.

Os que querem ser acolhidos por Jesus passam por transformações

A mulher flagrada em adultério foi instruída a viver uma vida santa. Aquela que era rejeitada por causa de promiscuidade e falsa religiosidade tornou-se uma evangelista na cidade onde vivia. Zaqueu foi transformado e, por isso, testemunhou com um novo estilo de vida, marcado pela generosidade. Tomé, homem sem fé, foi enviado por Jesus para pregar em regiões cujos habitantes não conheciam as boas-novas. O leproso, o mais rejeitado deles, foi transformado e passou a testemunhar também sobre o que Jesus havia feito na vida dele. O rejeitado que era imutável teve até a aparência transformada e, em vez de viver longe das pessoas, tornou-se um novo ser.

O pecado danificou a imagem de Deus neles, mas Jesus promoveu sua reconstrução. O pecado não era mais a marca exterior deles; a graça os alcançou e, por causa de Jesus, agora eles podiam viver livres daquilo que os dominava.

Quando alguém resolve seguir Jesus, é desafiado a deixar-se envolver no processo de renovação espiritual. Uma nova atitude surge por causa do toque de Jesus. Esse toque é aprofundado pela habitação, dentro dessa pessoa, do Espírito Santo, que se apossa dela para transformá-la. Isso não a isenta da responsabilidade de buscar a transformação, pois Deus não nos trata como robôs, retirando de nós a vontade de escolher errar, mesmo quando o entristecermos com nossas escolhas erradas. Nem mesmo a vontade de pecar desaparece de nenhum de nós, pois nossa inclinação para o mal não é erradicada. A diferença agora é que temos o Espírito Santo, que nos capacita para experimentar a transformação.

Por isso, o apóstolo Paulo escreveu em Efésios 4.20-24 que devemos nos livrar do velho modo de viver. Isso não significa que nunca mais haveremos de escolher não ser dominados pelas antigas vontades. Mas, agora, por termos sido libertados do poder da natureza pecaminosa, podemos viver livres do domínio do pecado. Porém, se permitirmos, ele ainda exercerá poder sobre nós. Por isso a exortação. Se fosse algo automático, não haveria a necessidade de um imperativo, como o texto nos traz. E isso vale igualmente para todo aquele que luta com os desejos homoafetivos.

Quando buscamos não satisfazer os velhos apetites, encontramos um novo imperativo, que é revestir-nos da nova natureza. Assim, deixamos de satisfazer os antigos apetites e passamos a procurar entender como Deus quer que nos comportemos. Por exemplo, se o homoafetivo costumava fantasiar relações sexuais, a partir de então ele decide não pensar nas fantasias quando elas chegam e procura imaginar que comportamento Jesus gostaria que ele tivesse. Essa pessoa não nega a vontade ou o prazer da fantasia, mas escolhe não investir tempo pensando nela.

Daí vem a terceira nova atitude, que é renovar a mente. O inimigo procurará afetar nossa mente, como fez com Eva, pondo dúvidas sobre o que Deus tinha dito. Com o passar do tempo, aquele que vivia na homoafetividade ou vivia fantasiando afetos e relações com pessoas do mesmo sexo pode ser tentado a voltar às velhas práticas. O diabo pode incutir na mente dessa pessoa pensamentos como: "A vida agora ficou chata" ou "Quando tinha relações sexuais com seu par, você era mais feliz. Você não tem o direito de ser feliz?".

92 Cristão homoafetivo?

É nesse ponto que a renovação da mente precisa acontecer. É nesse ponto que aquele que deseja seguir Jesus, mesmo com inclinações homossexuais, precisa deixar a mente ser permeada de verdades que vêm da Palavra. É nesse ponto que ele não deve permitir que suas emoções, afetadas pelo pecado, lhe ataquem a mente. É essa a renovação a que o apóstolo Paulo se refere em Romanos 12.1-2.

> Portanto, irmãos, suplico-lhes que entreguem seu corpo a Deus, por causa de tudo que ele fez por vocês. Que seja um sacrifício vivo e santo, do tipo que Deus considera agradável. Essa é a verdadeira forma de adorá-lo. Não imitem o comportamento e os costumes deste mundo, mas deixem que Deus os transforme por meio de uma mudança em seu modo de pensar, a fim de que experimentem a boa, agradável e perfeita vontade de Deus para vocês.

Para não tomar a forma de pensar do mundo, é preciso deixar que a mente seja permeada pela forma de pensar de Deus. O imperativo "Não imitem o comportamento e os costumes deste mundo" nos direciona para um novo estilo de vida. Os valores do mundo nos levam a viver como se o erro e o pecado fossem normais. Assim, se alguém pensa de acordo com o mundo e é infeliz no casamento, procurar felicidade fora do casamento é normal, pois "todos têm o direito de ser felizes". Assim também o homoafetivo pode imaginar coisas tais como: "Se Deus me fez uma pessoa sexual, eu tenho o direito de usar essa sexualidade" e "Se essa sexualidade me inclina para pessoas do mesmo sexo, não tem problema, pois foi Deus quem me fez assim".

É assim que pessoas sem Jesus pensam, mesmo dentro da igreja. Essa estrutura de pensamento só muda à medida que a trocamos pela estrutura do pensamento de Deus. Embora alguém possa se sentir infeliz no casamento e desejar outro tipo de matrimônio, aquele que segue Jesus poderá pensar: "Deus, como o Senhor quer que eu viva no contexto de sofrimento que estou vivendo?". É esse o significado prático de "deixem que Deus os transforme por meio de uma mudança em seu modo de pensar". A renovação da mente segundo os valores e as práticas de Deus passa a moldar o interior daqueles que lutam com inclinações pecaminosas, inclusive o comportamento homoafetivo.

Quem foi acolhido por Jesus com certeza voltará a ter tentações, crises ou mesmo quedas. Mas o sinal da graça em sua vida foi a transformação pela qual passou, evidente para ele e para outros. Vale a pena acentuar que Jesus não nos perdoa ou nos acolhe apenas para nos livrar de um desconforto ou para nos fazer sentir bem. Jesus nos acolhe para nos transformar e ser usados por ele. Em todas as histórias de encontros com Jesus mencionadas neste capítulo, pessoas foram transformadas e ganharam um novo significado de vida como fruto da transformação promovida pelo Salvador. Apenas um, o jovem rico, não quis ser acolhido por Jesus e por isso saiu da sua presença tomado de profunda tristeza. Preferiu segurar-se ao seu deus pessoal em vez de buscar uma vida nova em Jesus e crer que ele poderia dar-lhe o suporte para lidar com a dor da perda do seu deus pessoal.

Jesus quer tratar cada pecador dessa forma. Seja um adúltero, seja um corrupto, seja um homoafetivo. Ele quer acolher todos, mas cada um precisa desejar ser acolhido. E, se não desejar a transformação de vida, não será Jesus quem o forçará, do mesmo modo que não forçou o homem rico a segui-lo.

Toda pessoa que Jesus tocou passou a ser usada por Deus. A história do leproso provavelmente encorajou muitas pessoas ao redor dele, assim como a história da samaritana. Essas pessoas carregavam feridas emocionais da vida passada, que não necessariamente se curam no momento em que a pessoa se encontra com Jesus. Mas suas feridas se tornam, na mão de Deus, não apenas fonte de encorajamento para aqueles que passam pelo que elas passaram, mas também histórias de cura que curam.

94 Cristão homoafetivo?

Não existe verdadeira transformação de vida sem arrependimento

Há outro traço crucial entre as histórias dos acolhidos por Jesus e aquele que preferiu não ser acolhido: a mudança de vida de cada um dos envolvidos. Em outras palavras, houve mudança na forma de agir e de pensar, o que biblicamente se chama *arrependimento*.

Arrependimento foi uma palavra basilar na pregação de João Batista, e na pregação e no ministério de Jesus (cf. Mt 3.2; 4.17). Vemos o mesmo na pregação apostólica (cf. At 5.31; 11.18; 13.24). Jesus deixou claro que no céu existe uma alegria singular em razão de cada pecador que se arrepende (cf. Lc 15.17). Mas o que significa realmente *arrependimento*?

De modo simples e objetivo, podemos dizer que arrependimento significa *mudança de mente*. Não necessariamente que houve mudança de gosto ou personalidade, mas, sim, compreensão e aceitação de que o caminho pelo qual se estava andando contraria o que Deus tem para a pessoa. Mais que isso. O verdadeiro arrependimento não para na compreensão intelectual e na admissão do erro, mas inclui o conceito de mudança de direção, afastando-se mais e mais do caminho objeto do arrependimento.

No contexto espiritual, arrependimento é muito diferente de remorso. Quando uma pessoa experimenta remorso, ela sente tristeza pelo que fez, mas desculpa a si mesma de várias maneiras. Ela admite o erro, mas observa que todo mundo faz aquilo e, por isso, não vê problema em tê-lo cometido. Muitas vezes a pessoa culpa outros pelos próprios erros ou mesmo a Deus, como Adão culpou Eva pelo pecado dele. A tristeza do remorso é real, mas não gera nenhuma decisão de reparar o erro, tampouco de nunca mais repeti-lo.

Em termos de espiritualidade e homoafetividade, o remorso difere do arrependimento da mesma forma. Alguém que vive na prática da homoafetividade pode até sentir certo remorso, especialmente se conhece o que Deus diz sobre a homoafetividade.

Mas o remorso não provocará mudança de atitude, pois a mente continua moldada ao pensamento secular, que lhe diz que ela tem o direito de ser feliz. Logo, se praticar a homoafetividade a faz feliz, está tudo bem. Ela precisa apenas vencer o remorso e despir-se dos valores divinos. O remorso foca apenas no desconforto ou no resultado do erro. Já o arrependimento lida com a causa do erro e a resolução de não voltar a errar.

Jesus chama todos ao arrependimento. Quando chamou Levi para segui-lo e foi criticado pelas pessoas que estavam com ele, o Mestre também chamou as pessoas a uma mudança de vida e ao arrependimento (Lc 5.27-32). Na ocasião em que ocorre esse relato, estavam presentes pessoas de diferentes estilos de vida — corruptas, imorais e religiosas que viviam longe de Deus. Ao ouvir as críticas por estar com esse tipo de gente, Jesus responde: "Não vim para chamar os justos, mas sim os pecadores, para que se arrependam" (Lc 5.32). Com certeza ali estavam alguns daqueles que mais tarde seriam acolhidos por Jesus, quem sabe o próprio Zaqueu, pois Levi e Zaqueu eram colegas de profissão.

Dessa forma, quando pensamos no acolhimento de Jesus, também precisamos ter em mente que, ao acolher os excluídos, ele não ignorou o pecado deles, como se o que estivessem praticando fosse algo de que não precisavam se arrepender e deixar de praticar. Quando saiu da casa de Zaqueu, Jesus deixou ali um novo homem. Aquele cobrador de impostos reconheceu que seu estilo de vida era incorreto. No seu caso, o arrependimento foi expresso pelos reparos que ele promoveu. Sua ganância foi substituída por um coração generoso, o que demonstra não só arrependimento, mas mudança de vida.

O arrependimento verdadeiro que as pessoas experimentam tem a ver com a ação de Deus na vida delas. Por causa da natureza caída, o homem tem prazer no pecado e o máximo que consegue produzir por si mesmo é remorso, que por si só não conduz ao arrependimento ou à mudança de vida. Mas, quando Deus age, a pessoa é tomada pela tristeza que leva ao arrependimento,

96 Cristão homoafetivo?

como Paulo escreve em 2Coríntios 7.10. A ação de Deus produz a mudança de que a pessoa precisa, ou seja, o arrependimento completo. Foi isso que aconteceu com Zaqueu, com a mulher adúltera e com todas as pessoas acolhidas por Jesus. Todos ouviram que algo estava errado e que somente Jesus tinha o poder de consertar seus problemas ou transformar sua vida.

Não foi assim, porém, com o homem rico, como vimos. Os demais admitiram a impotência para sair do estado em que se encontravam, enquanto o jovem rico não viu nada errado em sua espiritualidade e preferiu continuar no caminho de altivez e justiça própria.

Mesmo sabendo que Deus é quem opera o arrependimento (cf. 2Co 7.10), em nenhum momento Jesus exime o ser humano de exercer a vontade de arrepender-se. É Deus quem opera o milagre do arrependimento, mas o homem precisa admitir que tem necessidade de mudança de vida. Somente com esse reconhecimento ele compreende que precisa de perdão e de um Salvador que lhe conceda um novo estilo de vida. Se alguém não admite estar errado, crê que não cometeu pecado e nem precisa de arrependimento. E quem não cometeu pecado nem precisa de arrependimento tampouco precisa de perdão de pecado e de mudança de vida. Todos aqueles que Jesus acolhe passam pelo momento de arrependimento e pela transformação. Por isso, todo homoafetivo que deseja viver uma vida séria com Deus precisa passar por esse processo, viva ele na prática da homoafetividade ou apenas fantasie cenas com pessoas do mesmo sexo. Jesus não ignora quem o procura com sinceridade, ainda que às escondidas, como fez Zaqueu. Jesus acolhe, aceita o arrependimento e transforma todo aquele que se achega a ele.

A essa altura do encontro com o pastor, Cláudio estava calado, pensativo. Parecia distante.

— Cláudio, você está aqui? — indagou o pastor.

— Estou aqui, sim, mas atônito e ainda confuso. Estou atônito porque nunca havia pensado em Jesus acolhendo e transformando pessoas como ele fez. E confuso porque não posso dizer que estou totalmente arrependido do meu estilo de vida. Parece que estou como aquele jovem rico. Sei que estou errado, mas os prazeres que tenho ainda me prendem. Às vezes me pergunto como será quando eu disser a meu namorado que estou fora da relação.

— Jesus trataria o homoafetivo, Cláudio, da mesma maneira que tratou esse grupo de pessoas sobre as quais falamos, pois, no fundo, a questão não é a homoafetividade; é o pecado. O problema é a escolha de viver independente de Deus. O pecado é o que levou pessoas como Zaqueu e Levi à rotina do roubo, a mulher pega em adultério a constantemente trair o marido e a samaritana a viver de modo promíscuo. A graça é oferecida gratuitamente a todos que se arrependem, reconhecem o erro e desejam mudar de vida. Por isso, Jesus morreu pelo cobrador de impostos, pelo adúltero, pelo corrupto, pelo espiritualmente leproso, pelo homoafetivo, pelo heterossexual promíscuo e por aí vai. A graça não faz distinção entre pecadores que se arrependem. Ela só não é eficaz para o orgulhoso que não reconhece seu pecado e vive independente de Deus.

Essa é a abordagem que a Igreja deveria ter com os homossexuais ou qualquer outro grupo de pessoas cujo comportamento não esteja de acordo com o estilo de vida de Jesus. Isso não quer dizer que as igrejas podem colocar na porta uma placa dizendo *Aberta para qualquer pessoa que deseja continuar vivendo como está*, mas toda igreja poderia ter uma placa que diz *Venha como está e deixe Jesus transformar a sua vida.*

As igrejas precisam tratar qualquer tipo de pessoa, como Jesus tratou. Para uma igreja refletir a atitude de Cristo com qualquer tipo de excluído, seus membros precisam ter a mesma atitude acolhedora, despida de julgamentos e permeada pela graça. Jesus condenou o pecado e confrontou o erro do pecador, mas acolheu cada um do jeito que estava. Primeiro ele acolheu e depois transformou aqueles que desejavam viver uma transformação. Assim Jesus faz com o homoafetivo, o ladrão, a meretriz, o orgulhoso e todos os demais.

O pastor concluiu o encontro com Cláudio, dizendo:

— Sua honestidade o ajudará muito no processo de procurar saber como honrar a Deus, a despeito de seus conflitos sexuais. Talvez agora tenha chegado a hora de discutirmos uma de suas perguntas passadas: "Pode uma pessoa que se diz seguidora de Jesus ser homoafetiva?". Abordaremos essa questão no próximo encontro.

Após um breve momento de silêncio, Cláudio indagou:

— Pastor, e se eu nasci *gay*?

O pastor olhou firmemente para Cláudio e respondeu:

— Que diferença faria se você perguntasse "Eu nasci mentiroso ou aprendi mentir?".

4 | SOU CRISTÃO E SOU *GAY*, PODE SER?

A tensão entre seguir Jesus e lidar com a própria homoafetividade

"Os encontros estão trazendo mais e mais perguntas à mente de Cláudio", pensou o pastor. Ele sabia que teria de lidar com duas perguntas no encontro seguinte: "Será que nasci *gay*?" e "Eu sou cristão e *gay*, como pode isso?".

Boa parte dos homoafetivos lida com angústia, depressão, culpa e sentimentos de desconforto, especialmente se são seguidores de Jesus. Por mais que a mídia tente desconstruir na consciência comunitária a ideia de que a homoafetividade é contrária à natureza, homoafetivos vivem cheios de conflitos interiores,[1] que resultam tanto da queda de Adão quanto da inclinação e da prática da homoafetividade. Por isso, muito mais importante que procurar uma resposta para a homoafetividade é dirigir os homoafetivos a Jesus. Ele é o único que provê os recursos para o ser humano lidar com suas angústias e questões de sexualidade, entre outros conflitos emocionais. Esse é o grande desafio para aqueles que acolhem pessoas que lidam com a homoafetividade. Ao mesmo tempo, Cristo está sempre pronto para receber e prover o auxílio de que cada um precisa para lidar com os sentimentos homoafetivos, pois ele é Deus compassivo e gracioso.

Ninguém deveria chocar-se ao ouvir alguém dizer "Sou cristão e sou *gay*". Primeiro porque rotular de *gay* nem sempre significa adotar uma conduta *gay*, como veremos neste capítulo. Todos os que resolveram crer em Jesus como Salvador são filhos de Deus, e filhos em crescimento, durante o qual lidam com conflitos, fracassos, derrotas, vitórias e pecados. Ao ouvir alguém dizer de si mesmo "Sou cristão e sou *gay*", enxergamos uma abertura muito significativa para ajudá-lo, porque, em geral, essa expressão comunica um grito de socorro. Quando alguém é sincero em querer seguir Jesus e, ao mesmo tempo, lida com sentimentos homoafetivos, ele vive um conflito profundo.

Conflitos profundos, aliás, eram exatamente o que Cláudio estava vivendo quando se encontrou novamente com o pastor. Seus ombros caídos e sua expressão facial comunicavam angústia, tristeza e uma aparente desilusão com a vida. Ainda assim, ele teve força para lançar perguntas complicadas.

— Pastor, eu nasci *gay*? E, se eu nasci *gay*, como posso controlar meus desejos e evitar as práticas homossexuais?

Depois de um tempo em silêncio, Cláudio acrescentou:

— Pastor, tenho Jesus como meu Salvador. Preciso que me ajude com meus conflitos.

Encontrar as causas da homoafetividade pode ter seus benefícios, mas não soluciona os conflitos gerados, pois eles não podem ser revertidos. Por isso, da perspectiva bíblica, descobrir as causas da homoafetividade é algo de menor importância. O mais importante é saber lidar com a homoafetividade, mas isso só é possível por meio do poder de Jesus, que capacita a pessoa a mudar em sua história o que ela é incapaz de fazer por si só. Saber se alguém nasce *gay* ou torna-se *gay* é interessante, mas muito mais importante é saber ajudar quem vive conflitos por causa da sua sexualidade.

Nascido *gay* ou predisposto à homoafetividade?

A ideia de que a homoafetividade poderia ter uma causa genética surgiu por volta dos anos 1990. O neurocientista britânico Simon LeVay[2] publicou uma pesquisa na qual afirma ter descoberto que uma pequena parte do hipotálamo era diferente em homens que se identificavam como homoafetivos em comparação com o daqueles que se identificavam como heterossexuais. Houve muita polêmica, e mesmo entre a comunidade científica o trabalho de LeVay não foi muito reconhecido, porque seus métodos de pesquisa não garantiam a precisão do resultado publicado.

A comunidade *gay* de certa forma celebrou, porque LeVay aparentemente resolveu a pergunta sobre a causa da homoafetividade. Se nascemos *gays*, não há nada de errado com isso e mesmo Deus pode ser apontado como o responsável final. Mas, até hoje, passadas décadas da publicação do artigo de LeVay, ainda carecemos de provas, pesquisas e estudos científicos que tragam comprovações inquestionáveis sobre a homoafetividade. Nada está claro ou definido.

Em contrapartida, um ano depois de as pesquisas de LeVay terem se tornado conhecidas, um colega do pesquisador publicou outro estudo que trouxe à tona algo muito significativo sobre a estrutura cerebral de homoafetivos e heterossexuais. O pesquisador Kenneth Klington apontou que a estrutura cerebral pode ser afetada por comportamentos e experiências. Sua tese contribui para esclarecer que a estrutura cerebral de uma pessoa homoafetiva pode ser afetada por seu comportamento, e não o contrário, ou seja, que ela tem esse comportamento, por causa da estrutura cerebral. Não são apenas fatores biológicos que contribuem para o comportamento homoafetivo.[3]

> Há um consenso geral e talvez informal atualmente de que nenhuma teoria da homoafetividade possa explicar um fenômeno tão diverso. Não há uma causa completamente determinante, e sim nos parece que há uma variedade de influências facilitadoras. Enquanto a homoafetividade pode se desenvolver sem fatores genéticos ou hormonais operantes,

geralmente não se desenvolve sem a influência de aprendizado, bem como da socialização.[4]

A homoafetividade é fruto da queda, com certeza. Essa resposta é verdadeira, mas carece de mais elaboração diante da multiplicidade de componentes que a induzem. O fato é que estudiosos do fenômeno concordam que fatores genéticos, influências hormonais intrauterinas, ambientes e histórico familiar, abuso sexual na infância e na puberdade, entre outros fatores, possivelmente contribuem para o seu desenvolvimento. Mas os pesquisadores também concordam que, embora o componente biológico seja reconhecido em certos casos, ninguém nasce *gay* ou lésbica. Nunca o fator biológico, isolado, é determinante.

O geneticista americano e ex-diretor do Projeto Genoma Humano Francis Collins resumiu a pesquisa sobre a homoafetividade ao dizer: "Orientação sexual é geneticamente influenciada, mas não construída no DNA do indivíduo e, mesmo quando um componente genético está envolvido, isso apenas representa uma predisposição para a homoafetividade, e não uma predeterminação".[5]

O problema com essa perspectiva é que outros estudos genéticos afirmam que pessoas com tendências a uma vida adúltera, por exemplo, também têm em sua formação genética certo gene que a predisporia para esse tipo de comportamento. Se fosse a influência biológica algo determinante, então adultério, assassinato em série e agressividade, por exemplo, deveriam deixar de ser vistos como pecado e alvo de punição penal, pois, afinal, as pessoas teriam nascido assim. E, se nasceram assim, não deveriam ser punidas por seus erros.

No entanto, como diz o dr. Collins, nada disso é determinante: a pessoa sempre tem a oportunidade de fazer escolhas. Não estamos dizendo, contudo, que a homoafetividade é uma escolha, embora, em alguns casos, seja, sim. Com certeza, ninguém escolheria um estilo de vida que gera angústia, depressão, isolamento e falta de esperança. Também não estamos afirmando que todo homoafetivo vive em angústia ou depressão, mas que, embora no comportamento homoafetivo reconheçamos a possibilidade de haver influência biológica, ela não controlaria o indivíduo a ponto de impedi-lo de viver de acordo com os padrões de Deus.[6]

Se acreditarmos que a influência biológica não é determinante, mas apenas cria a predisposição para a homoafetividade, é possível alinhar o ensino bíblico à questão. A predisposição não torna a pessoa homoafetiva. Ela é capaz de escolher que comportamento desenvolverá, uma escolha frequentemente nada fácil.

É difícil crer que alguém opte por um estilo de vida permeado por conflitos. Se a predisposição é forte ou mesmo ocasional, os conflitos interiores afloram e, se a prática do relacionamento físico homoafetivo se concretiza, especialmente para aquele que quer viver uma vida que agrada a Deus, a experiência gera culpa. Essas dores emocionais resultam da própria dificuldade do homoafetivo de admitir seu desejo por pessoas do mesmo sexo. Some-se a isso a ansiedade que brota quando ele imagina que um dia terá de "sair do armário". Como seus pais reagirão? E os amigos? E a igreja? Com medo da rejeição, muitas vezes o caminho escolhido é o da fuga para um gueto onde todos o aceitarão.

Em contrapartida, se ninguém nasce *gay*, há uma esperança. É possível lidar com a predisposição ou os desejos homoafetivos e viver uma vida saudável na graça que Jesus oferece.

A essa altura da conversa, Cláudio ajeitou-se na poltrona. A força da curiosidade levantou seus ombros. Ele, então, perguntou:

— Então há esperança para alguém como eu?

— "Como eu" em que sentido? — indagou o pastor.

— Como eu, que quero seguir Jesus, mas sou homoafetivo.

— O que você quer dizer quando afirma "sou homoafetivo"?

O que é ser homoafetivo?

Para lidar com a pergunta "Pode um cristão ser *gay*?", primeiro precisamos entender ou definir o que é ser *gay*. Ser homoafetivo é ter atração sexual por alguém do mesmo sexo? Ou é desejar sexualmente alguém do mesmo sexo e viver constantemente essa fantasia? Ou alguém pode ser definido como *gay* somente quando tem relações sexuais com pessoas do mesmo sexo? Na realidade, essa pergunta carrega muito mais uma tentativa de definição social ou política. Podemos, social ou politicamente, definir alguém como "adúltero" ou "corrupto". Mas essa definição está longe de ser a identidade da pessoa.

Em contrapartida, se buscamos lidar com certos conflitos, precisamos procurar definir o que queremos dizer com "ser *gay*". O alvo deste livro é refletir sobre o assunto da homoafetividade à luz da Bíblia e encorajar pessoas que lidam com a questão a procurar uma abordagem bíblica hermeneuticamente sadia ao interpretar o assunto — e, ao mesmo tempo, oferecer um caminho de esperança, em Cristo, para aqueles que lidam com a questão. E tudo isso permeado pela graça que Jesus oferece. Uma vez que a pessoa resolve seguir Jesus, ela ganha nova identidade. Se a pessoa cai em determinado tipo de pecado, essa prática não a define. Ela pode praticá-lo por algum tempo, mas sempre haverá uma saída se ela recorrer a Jesus.

Claro que a homoafetividade trata-se de algo muito mais complexo do que roubar ou adulterar. Para muitos é algo que os consome como uma luta interior aparentemente sem fim. No entanto, mesmo sendo assim, encontramos nas Escrituras o caminho para lidar com essa questão. Isso significa que, apesar do desejo sexual por pessoas do mesmo sexo existir, em Cristo a pessoa encontra o cerne de sua identidade e os recursos para viver uma vida sadia, a despeito da tendência ou da atração por outro ou outros do mesmo sexo.

Assim, ao procurar entender o que é ser *gay*, precisamos entender pelo menos três níveis de vivência da homoafetividade: sentimentos, desejos e práticas.

Sentimentos, desejos e práticas

Quando uma pessoa se autodenomina *gay*, precisamos perguntar o que ela quer dizer com isso. À medida que ouvimos seu relato, também é crucial ter em mente o significado de nossa identidade em Cristo, pois, com certeza, todo aquele que resolve se chamar de *gay* ou que aceita que outros o rotulem como tal enfrenta uma profunda crise de identidade. Assim, ao ouvirmos um homem ou uma mulher se definir como *gay*, é importante compreender se essa pessoa está falando de sentimentos, desejos ou prática de relações sexuais com uma pessoa do mesmo sexo. Mais que isso, se está trocando sua identidade em Cristo pela identidade que lhe dão — ou mesmo se ela é que se caracteriza como tal como fruto dos seus sentimentos ou de práticas homoafetivas.

O nível dos sentimentos

Primeiro entendemos que existe o nível dos sentimentos, ou da atração.[7] Nesse nível, estamos falando de sentimentos que muitas vezes nos tomam de assalto. E claro que ninguém tem um "botão de acionamento sentimental" implantado no corpo, que pode ser desligado ou ligado quando se deseja. Um botão interior que, quando ligado, permite que ativemos ou anulemos sentimentos como raiva, ira, paz ou atração sexual.

Assim, mesmo um homem casado e apaixonado pela esposa pode ser despertado sexualmente ao ver uma mulher bonita vestida de modo sensual. Da mesma forma, uma pessoa pode sentir admiração ou atração sexual por alguém do mesmo sexo. Essa atração pode ocorrer uma vez na vida, de vez em quando ou raramente. Em termos bíblicos, podemos dizer que se trata daquele sentimento que em si mesmo não constitui pecado, por não ser fruto de uma escolha que contraria o que Deus deseja. Ele surge espontaneamente. E, ao surgir, o indivíduo precisa resolver o que fará com ele.

No campo da sexualidade, a atração física de um homem por uma mulher é considerada normal. Embora o que ocorre naquele momento possa ser trabalhado como algo corriqueiro, a pessoa precisa decidir se vai em frente com o pensamento ou se para por ali, porque ir em frente significa fantasiar uma relação sexual. E aí as coisas mudam, pois o que antes configurava um sentimento que não podia ser impedido, agora passa para um estágio que trará desconforto ou se tornará pecado. O desconforto interior mais forte ainda pode surgir quando a atração é por uma pessoa do mesmo sexo. É estranho, especialmente das primeiras vezes.

Esse sentimento não define ninguém como homoafetivo. Em ambas as situações, a pessoa precisa correr para Deus e admitir que está trafegando em uma zona perigosa. Ali ela decidirá ir em frente ou admitir o que sente e resolver não dar lugar ao sentimento, pois, se o fizer, aí sim, se tornará pecado.

Ao correr para Deus a fim de se proteger do pecado, a pessoa precisa levar todo o seu pensamento cativo a Cristo (cf. 2Co 10.5), ou seja, sua mente foi despertada para algo que não é o que Deus planejou para ela, por isso deve guardar a mente: "Acima de todas as coisas, guarde seu coração, pois ele dirige o rumo de sua vida" (Pv 4.23).

Nesse nível, é crucial não se deixar rotular pela própria experiência de viver numa cultura onde tudo se rotula. Em nossa sociedade, o simples despertar de um desejo homoafetivo às vezes é entendido como o fator determinante para que a pessoa receba o estigma de homoafetiva ou se defina como tal. Isso não é verdade: a identidade do cristão está em Cristo, e não em seus pensamentos ou sentimentos. Mesmo um cristão pode ser despertado sexualmente por uma pessoa do mesmo sexo ou do sexo oposto e isso não ser tratado como pecado, como comentamos anteriomente. Ser despertado não é pecado, pecado é continuar focando naquilo para o qual foi despertado, se esse foco é uma imagem sensual ou a atração sexual por alguém do mesmo sexo.

Ser despertado sexualmente faz parte da nossa sexualidade sadia, plantada por Deus em nós. Se somos despertados sexualmente por pessoas do mesmo sexo, não podemos aceitar isso como algo puramente normal à luz do que já discutimos em termos do plano de Deus para a vivência da sexualidade. Esse despertar precisa ser encarado como um "sinal amarelo" de atenção, que alerta para algo com que é preciso lidar. Ninguém tem controle sobre o que brota em seu interior, mas todos têm controle sobre o que será feito com esse despertamento, o que nos leva ao próximo nível de despertamento homoafetivo.

O nível dos desejos permanentes

Se os sentimentos persistem e, em vez de esporádicos, tornam-se constantes, a pessoa precisa lidar com a situação. Se o que era ocasional passa a ser algo realmente desejável, muito forte e preferencial, é preciso ficar alerta. Estamos saindo do nível dos sentimentos para o dos desejos. O sentimento, que não incomodava e poderia ter sido facilmente posto nas mãos de Deus, agora se torna uma fantasia experimentada com gosto. A mente cria cenas. O desejo de tocar e abraçar o outro do mesmo sexo de forma sexualmente estimulante se torna prazeroso e a concretização dele passa a ser almejado. Nesse contexto, já não estamos falando de um sentimento, mas de desejos sexuais fortes e dominantes por uma ou mais pessoas do mesmo sexo.

Foi sobre esse tipo de desejo que Jesus alertou: "Eu, porém, lhes digo que quem olhar para uma mulher com cobiça já cometeu adultério com ela em seu coração" (Mt 5.28). O texto se refere a uma relação heterossexual fora do casamento. A relação sexual entre pessoas do mesmo sexo — ou a fantasia — é uma experiência fora do modelo de casamento criado por Deus. O desejo não é mera vontade superficial, mas a vontade profunda, aquilo em que o coração põe seus anseios. Na linguagem do apóstolo João, é um "desejo intenso", que quase se torna compulsão: "Porque o mundo oferece apenas o desejo intenso por prazer físico, o desejo intenso por tudo que vemos e o orgulho de nossas realizações e bens. Isso não provém do Pai, mas do mundo" (1Jo 2.16). É um caminhar contra os padrões de Deus.

108   Cristão homoafetivo?

Nesse nível de experiência, a pessoa que deseja viver uma vida que agrada a Deus pode sentir-se culpada e desconfortável. Mesmo o heterossexual que almeje uma mente que honre a Deus sente-se dessa maneira quando se permite fantasias contínuas e fortes. E, quando esse divagar gira em torno de pessoas do mesmo sexo, é hora de lidar com a questão com ainda mais seriedade. Agora não é mais uma questão de um botão que não existe, mas de algo que fere o plano original de Deus para um relacionamento afetivo entre pessoas casadas.

Surge a dúvida: esses desejos homoafetivos definem a pessoa como homoafetiva ou mesmo bissexual? Com certeza, não. Se alguém está em Cristo, é nele que a pessoa tem sua identidade. Agora já não estamos falando de sentimentos que não temos como controlar, mas de desejos que podem ser controlados; é a possibilidade de escolha entre pecar e não pecar, entre gostar desses desejos ou rejeitá-los, mesmo que sejam agradáveis.

Se a pessoa não lidar com o desejo homoafetivo da forma correta, pode-se chegar ao nível seguinte: o da prática. E esse é o nível de pecado ao qual Tiago se refere: "A tentação vem de nossos próprios desejos, que nos seduzem e nos arrastam. Esses desejos dão à luz o pecado, e quando o pecado se desenvolve plenamente, gera a morte" (Tg 1.14-15). Nesse nível surge a sensação de desconexão com Deus naqueles que seguem Jesus. "Como isso pôde acontecer comigo?", nasce o questionamento. O passo seguinte é a confusão mental: "Sou homoafetivo?".

Não podemos negar que pessoas homoafetivas apresentam desejos sexuais por pessoas do mesmo sexo tanto quanto pessoas heterossexuais por pessoas do sexo oposto. Esse desejo nem sempre é carregado de sensualidade, como se os homoafetivos somente pensassem em sexo. Não é uma situação fácil de lidar. Antes de condenar pessoas com esse tipo de desejo, precisamos entender que elas, como os heterossexuais, também estão atrás de intimidade. O problema é que os homoafetivos procuram essa intimidade na fonte errada, do ponto de vista bíblico. Por mais que digam que amem uma pessoa do mesmo sexo, e isso é verdade, o amor não pode ser regido por desejos, mas unicamente pela vontade de Deus. Assim, mesmo sentindo amor por uma pessoa do mesmo sexo, os desejos lascivos homoafetivos são pecaminosos e reprovados por Deus. A questão mais importante é se uma pessoa que deseja honrar Jesus daria lugar a esse tipo de amor.

Igreja, família e amigos precisam fazer a distinção entre sentimentos, desejos e práticas para não julgar ou estigmatizar pessoas. Mesmo com desejos homoafetivos fortes e dominantes, o seguidor de Jesus não perdeu sua identidade em Cristo nem caiu da graça; ele pode aprender a lidar com esses sentimentos e viver uma vida cristã normal.

Por medo dos rótulos que colocam em si mesmas ou com receio de ser rejeitadas, a essa altura muitas pessoas se afastam da igreja e do convívio com aqueles que mais poderiam ajudá-las. Elas precisam de ajuda e de cuidado, especialmente para lidar com esses conflitos. Quando a igreja não age de forma graciosa, compreensiva e firme, pessoas com sentimentos e desejos homoafetivos se fecham e, por causa da necessidade de intimidade e pertencimento, acabam por buscar abrigo em comunidades de pessoas homoafetivas que não conhecem Jesus. Nesse convívio, em vez de ter sua identidade em Cristo fortalecida, são induzidas a rotular a si mesmas como homoafetivas, o que é uma mentira.

Em contrapartida, a Igreja de Jesus também precisa acolher os excluídos que buscam ajuda e querem seguir Cristo de todo o coração, apesar das imperfeições, mesmo aqueles que têm sentimentos e desejos homoafetivos.

Depois de ouvir essa explicação sobre sentimentos e desejos homossexuais, Cláudio levantou da cadeira e perguntou:

— Como posso lidar com meus desejos homoafetivos e não me sentir rejeitado por Deus?

O pastor respondeu:

— Chegaremos lá. Mas ainda precisamos entender outro nível de homoafetividade, que talvez seja o mais delicado: o da prática.

O *nível da prática homoafetiva*

No nível dos sentimentos, pode-se viver sem conflitos profundos, pois eles são apenas alertas para zelarmos por uma vida pura diante de Deus. No nível dos desejos, a homoafetividade se torna pecaminosa, pois eles começam a promover o prazer e a busca por algo mais profundo, que é uma necessidade do ser humano: a busca por intimidade. Uma vez que o desejo é aceito como normal ou natural, por causa da influência do ambiente, o passo seguinte pode ser a prática da homoafetividade.

Nessa etapa, surgem as carícias e as relações sexuais ilícitas com pessoas do mesmo sexo. Quando isso acontece, deparamos com o que Paulo diz em Romanos 1.24-27. Como fruto de um desejo não controlado, a prática da homoafetividade em termos de relações sexuais é uma escolha. A pessoa pode ou não praticar. Isso também acontece entre heterossexuais que se relacionam fora do casamento. Por mais que a pessoa seja dependente de sexo, escolher deitar-se com alguém também é uma escolha. Ao deixar-se dominar por desejos lascivos contrários ao que Deus planejou para a sexualidade humana, a pessoa assume o risco de ver-se como homoafetivo em vez de ver-se como alguém que está em Cristo.

Ao praticar atos sexuais com pessoas do mesmo sexo, a pessoa escolheu adorar a si mesmo em vez de adorar ao Criador. Nesse momento, submeteu-se ao próprio desejo em vez de submeter-se à vontade de Deus. Por isso, o Senhor a entrega às paixões de sua própria natureza pecaminosa, o que gera uma experiência de completa distância de Deus.

É aqui que reside o perigo mais profundo da prática da homoafetividade. No nível da prática, por causa da culpa, muitos se afastam de Deus. E, ao fazê-lo, caem em outra armadilha, que é passar a denominar-se homoafetivo. A sua estrutura mental passa a ser dominada, no campo da sexualidade, por uma nova identidade. Sua identidade deixa de ser fortalecida pelo que ela é em Cristo, passando a ser dominada pelo que seus sentimentos e desejos parecem afirmar sobre ela: "Eu sou *gay*".

Assim, se a pessoa realmente resolveu seguir Jesus, a fim de que possa fugir de um confronto interior com o Espírito Santo é mais fácil negar que Deus existe. Afinal, se ela aceitar que Deus existe, terá de admitir que seus desejos e sua prática são pecaminosos e, com isso, viverá com culpa constante. Essa culpa muitas vezes leva à reclusão, à depressão e ao isolamento. Para alguns pode ser um caminho sem volta. Mas, para todo aquele que quiser, existe o caminho da graça.

A escolha da identidade: sou cristão ou homoafetivo?

Se alguém que se diz seguidor de Jesus vive no nível dos desejos ou no das práticas homoafetivas, precisa escolher que identidade deseja adotar: a que Deus diz ou a que a cultura diz.

Se essa pessoa adota os valores ou os padrões da cultura na qual está inserida, viverá tendo como único foco sua felicidade, o que inclui a realização do que lhe dá prazer. Logo, se a prática da homoafetividade a faz feliz, ela se verá como homoafetiva. Nesse caso, ela abandonará os valores e os ensinos de Deus sobre sexualidade, para satisfazer os próprios desejos. A cultura também diz que "o amor é lindo" e foi criado por Deus para ser vivido e experimentado mesmo entre duas pessoas do mesmo sexo. Como resultado, a pessoa cai no engodo de que sua vida precisa ser regida pelos sentimentos e desejos que lhe dão prazer, e não mais pelo que Deus diz.

Não podemos negar, por mais complexo que seja, que o amor pode ser extremamente forte mesmo entre duas pessoas do mesmo sexo. Mas esse tipo de amor e prática pode levar à morte espiritual. Embora esse amor possa existir, nunca poderá sobrepor-se ao padrão que Deus designou como um relacionamento sadio para a humanidade: o relacionamento afetivo e físico heterossexual.

112   Cristão homoafetivo?

O indivíduo com sentimentos homoafetivos tem ainda outra escolha a fazer, que implica dois reconhecimentos. Primeiro, reconhecer que existem sentimentos e desejos homoafetivos e que a pessoa em questão gostaria de concretizá-los, na prática. Segundo, reconhecer que não somente a prática, mas o próprio desejo, são pecaminosos. Então, uma decisão precisa ser tomada: viver de acordo com a cultura onde está inserida ou viver de acordo com o padrão de Deus, dependendo dele a cada dia, a fim de enfrentar a luta interna contra os desejos e a vontade de torná-los prática.

Essa decisão é cara e dolorida, mas é a mais sábia que um homoafetivo pode tomar. Ela pode não trazer cura para seus conflitos ou desejos homoafetivos, mas pode redirecionar sua vida para um novo rumo, no qual Deus será glorificado. Na prática, isso significa a decisão de viver de forma casta e celibatária.

Essa decisão pode significar para ela, por causa do seu compromisso com Jesus, viver com um "espinho na carne", que será uma das experiências mais significativa do que seja o impacto da graça de Deus em sua vida. Essa pessoa escolhe afirmar sua identidade em Cristo e, por estar nele, será preciso viver na dependência dele para ter essa identidade.

Desse modo, o indivíduo não será um homoafetivo, mas um seguidor de Jesus com lutas homoafetivas, em um processo de santificação e vitória sobre seus desejos homoafetivos. Essa é sua identidade. Além do mais, quando, a despeito de seus sentimentos ou práticas contrários à Palavra de Deus, alguém admite seus erros e se arrepende, precisa ter em mente outra grande verdade: "Agora, portanto, já não há nenhuma condenação para os que estão em Cristo Jesus" (Rm 8.1).

Depois de ouvir a continuação da explicação dos três níveis de homoafetividade, Cláudio perguntou ao pastor:

— Se entendi bem, o senhor disse que é possível para uma pessoa que tem sentimentos e desejos homoafetivos viver uma vida seguindo Jesus?

— Sim, foi isso que eu quis dizer. Mas desde que procure viver na dependência de Jesus e não dar lugar aos desejos homoafetivos.

— Como isso é possível? — perguntou Cláudio. — Ainda mais sabendo que vivo maritalmente com outro homem. Como posso viver como alguém que está em Cristo, e não como homoafetivo?

— Cláudio, Deus não quer que você viva uma vida dupla, mas que viva uma vida diária na dependência dele, tendo comportamentos que possam lhe dar vitória diária sobre a tentação dos desejos e da prática homoafetivos.

Lidar com os desejos e as práticas homoafetivos: cura ou superação?

A pergunta básica de Cláudio, sobre um *gay* ser seguidor de Jesus, carece de uma resposta objetiva, amorosa e permeada pela graça.

Se uma pessoa se diz seguidora de Jesus e não abandona a prática da homoafetividade, ela precisa de ajuda. Se permanece no pecado, duas coisas podem acontecer. Primeiro, por amor a ela, Deus pode discipliná-la para que cesse a vida pecaminosa. A motivação da disciplina de Deus é sempre o amor, e não o desejo de punição. Segundo, também por causa do amor de Deus por ela e para que a vida pecaminosa não a destrua, Deus pode levá-la mais cedo para o céu. Foi assim que o apóstolo Paulo tratou do pecado da imoralidade na igreja de Corinto. Por amar o filho, o Senhor pode causar sua partida para estar com ele mais cedo. É melhor para Deus levar um filho mais cedo para casa do que deixá-lo viver um estilo de vida destrutivo.

Mas há o outro lado da história, que precisa ser encarado. Aquele que lida com seus sentimentos e desejos homoafetivos também pode ter uma caminhada de vida de entrega e serviço a Deus, com superação.

Muitas pessoas perguntam se existe cura para a homoafetividade. Essa é uma pergunta muito difícil de responder. Talvez

114 Cristão homoafetivo?

pudéssemos fazer uma contrapergunta: existe cura para a mentira e para a desonra ao pai e à mãe? Claro que estamos falando de problemas diferentes em termos de intensidade e envolvimento. Mas o fato é que, ao perguntarmos se existe cura para a homoafetividade, também estamos perguntando se há cura para o pecado. Pelo mesmo raciocínio, estamos perguntando se existe a possibilidade de pessoas deixarem de ser homoafetivas para serem heterossexuais.[8] Com relação a esse questionamento, precisamos ter em mente o que Paulo escreve aos coríntios.

> Vocês não sabem que os injustos não herdarão o reino de Deus? Não se enganem: aqueles que se envolvem em imoralidade sexual, adoram ídolos, cometem adultério, se entregam a práticas homossexuais, são ladrões, avarentos, bêbados, insultam as pessoas ou exploram os outros não herdarão o reino de Deus. Alguns de vocês eram assim, mas foram purificados e santificados, declarados justos diante de Deus no nome do Senhor Jesus Cristo e pelo Espírito de nosso Deus.
>
> 1Coríntios 6.9-11

Repare nesta expressão: "Alguns de vocês eram assim". Se na lista estavam os homossexuais, isso quer dizer que alguns para quem o apóstolo de Cristo estava escrevendo deixaram de ser. Em outras palavras, aquelas pessoas pararam de ter sua vida marcada pelo pecado e pela cultura da época para ter uma vida que de fato refletia a identidade delas em Cristo. Isso mostra que é possível mudar.

Estudos mostram que cerca de 95% das pessoas que se dizem homossexuais também tiveram experiências heterossexuais.[9] No livro *Homosexuality and the Christian*, Mark Yarhouse aponta para diferentes estudos científicos sobre o comportamento homoafetivo e as evidências de mudanças de comportamento.[10] De acordo com essas pesquisas, houve quem nunca mais vivenciasse esses desejos, enquanto outros abandonaram a prática, mas continuaram sujeitos a sentimentos ou desejos homoafetivos.

Portanto, é, sim, possível uma pessoa com sentimentos e desejos homoafetivos viver de forma controlada pelo Espírito em celibato, por causa da sua identidade em Cristo. Não existe uma receita para o sucesso. O que existe é uma série de atitudes que cada um pode tomar, na dependência do Espírito Santo, se realmente deseja viver de maneira que agrade a Deus. Quando Davi escreveu o salmo 63, ele estava vivendo um deserto espiritual e emocional, fugindo de Saul ou Absalão. Mas, no meio de tanta pressão, ele disse ao Senhor: "Teu amor é melhor que a própria vida" (Sl 63.3). Para Davi, mesmo que as pressões não passassem, ele continuaria confiando no amor fiel de Deus, que lhe daria sucesso sobre seus problemas.

Algumas atitudes podem ser tomadas por pessoas que se identificam como homoafetivas, mas querem andar corretamente com Deus. Não são regras, mas comportamentos que, se desenvolvidos no poder do Espírito Santo, podem trazer alívio e sucesso na luta contra pensamentos, desejos e práticas homoafetivas. São atitudes que solidificam nossa condição de indivíduos cuja identidade está em Cristo, e não naquilo que pensamos ou naquilo que a cultura nos impõe. Vejamos a seguir que atitudes são essas.

Encarar e confessar os sentimentos e os desejos

O caminho para a sexualidade sadia, apesar dos sentimentos ou desejos homoafetivos, começa com um reconhecimento: "Eu tenho sentimentos ou desejos homoafetivos". A pessoa precisa admitir essa realidade em vez de negá-la. Quanto mais se nega, mais se adia o processo de vitória. Em outra linguagem: é "sair do armário", não diante do público, mas de si mesmo e de Deus.

Aceitar a própria condição significa aceitar que muitos o estigmatizarão e que alguns o rejeitarão, mesmo que a cultura prevalente tente afirmar que cada um tem de ser o que é, independentemente do que os demais pensem. Estar consciente disso ajudará muito no processo de lidar com os conflitos interiores que surgirão. Aprender a lidar com a própria inclinação homoafetiva

116   Cristão homoafetivo?

sem se rotular de pervertido abrirá o caminho para olhar para si mesmo com base na identidade em Cristo, e não com base no rótulo que as pessoas costumam colocar.

Quando admitimos para nós mesmos e para Deus aquilo que vai em nossa alma, damos início a um processo de libertação. O conflito não é novidade para Deus, pois ele sabe todas as coisas, mas é libertador para o indivíduo. Inicialmente, cada pessoa enfrenta uma luta interna de negação. Ela foge da realidade interior por considerar seus sentimentos sujos e vergonhosos. Muitas vezes a pessoa ora, pedindo que Deus tire "aquilo" de dentro dela. Daí vem um sentimento até de frustração com Deus, porque parece que o Senhor não está ouvindo as orações. Ao longo desse processo, muitas perguntas surgirão: "Como sinto ou desejo isso se sou filho de Deus?" ou "Onde está Deus em meio a tudo isso?".

Confessar significa concordar. Em vez de negar o que se está sentindo, o grande passo é lembrar que existe um Deus acolhedor que já sabia dos conflitos e pensamentos homoafetivos da pessoa. O Senhor nos adotou a certa altura da vida, com todos os nossos problemas. Ele sabia o que passaríamos ou sentiríamos e, mesmo assim, resolveu partir em busca de nós. Por isso, podemos chegar diante dele do jeito que estamos, porque ele nos adotou.

Deus é o nosso Pai, conforme ensinado por Jesus. Ele é Pai e soberano. Como pai nos adota, nos acolhe e nos ouve do jeito que estamos. Como soberano, ele age em nossa vida como lhe apraz. Assim, não precisamos ter medo de admitir: "Pai, estou tendo esses desejos pecaminosos e não tenho como negá-los. Estão aqui dentro de mim. Tem misericórdia de minha vida". Quando fazemos isso, concordamos com Deus que existe algo pecaminoso dentro de nós e que precisamos da ajuda dele para enfrentá-lo. Ao confessar nossos sentimentos e desejos pecaminosos, ou mesmo a prática pecaminosa da homoafetividade, concordamos com Deus que estamos errados e que sabemos que o plano dele para nossa vida sexual se baseia em homem e mulher, e não em pessoas do mesmo sexo.

Negar gera frustração, aprofundamento de culpa e luta interior desumana. Já confessar gera libertação. Por isso, somos ensinados que a confissão de pecados produz cura e nos direciona para sermos pessoas inteiras novamente. Sentimo-nos mais encorajados a admitir esses sentimentos, desejos e práticas contrários a Deus quando pedimos ajuda a alguém. Não está escrito na Palavra que alguém precisa admitir sua homoafetividade para os outros, mas, relembrando o texto de Tiago 5.16, somos encorajados a confessar nossos pecados uns aos outros.

Quando um indivíduo maduro em Cristo, amoroso e firme conosco ouve a confissão de uma pessoa em luta, aquele que admitiu seus erros encontrou alguém que pode ajudá-lo, encorajá-lo, confrontá-lo e, acima de tudo, orar junto quando as pressões para cair no erro se tornam praticamente incontroláveis. Essa confissão não precisa ser pública, mas precisa ser sincera e cheia de arrependimento, e deve ser feita a alguém espiritualmente maduro em Cristo, para manter sigilo. Veja a libertação experimentada pelo rei Davi quando ele admitiu seu pecado.

Como é feliz aquele cuja desobediência é perdoada, cujo pecado é coberto! Sim, como é feliz aquele cuja culpa o SENHOR não leva em conta, cuja consciência é sempre sincera! Enquanto me recusei a confessar meu pecado, meu corpo definhou, e eu gemia o dia inteiro. Dia e noite, tua mão pesava sobre mim; minha força evaporou como água no calor do verão. Finalmente, confessei a ti todos os meus pecados e não escondi mais a minha culpa. Disse comigo: "Confessarei ao SENHOR a minha rebeldia", e tu perdoaste toda a minha culpa.

Salmos 32.1-5

Neste momento, Cláudio perguntou ao pastor:
— Mas então é apenas isso? Basta confessar o pecado?
O pastor respondeu:

— Sim e não. Sim, porque a confissão de pecados é bíblica. Não, porque a confissão é apenas o início de um processo, se você quer realmente andar seriamente e cheio de satisfação em Deus.

Confissão sem arrependimento estagna e engana qualquer pessoa em processo de crescimento. A confissão pode ser um ato mecânico, o que é um erro. A confissão sincera carrega em si uma atitude de não somente reconhecer o erro, mas também de não querer mais voltar a cometer aquele erro. O pecado muitas vezes é uma experiência gostosa, especialmente na área sexual. Sexo, quando feito sem violência e sem imposição, e por amor, traz intimidade e alegria. Mas a medida da integridade não é se me senti bem, mas saber se, mesmo que aquilo dê prazer, agrada a Deus. Se não agrada ao Senhor, é preciso admitir que houve erro e estabelecer a firme resolução de procurar não cometer aquele pecado. Isso é arrependimento. Sem confissão nada é perdoado, mas sem arrependimento nada muda e o comportamento pecaminoso continua tendo força.

A pergunta que surge então é: "Mas arrepender-se de quê?". Arrepender-se da homoafetividade é algo muito genérico, porque, de certa forma, a confissão e o arrependimento não necessariamente destruirão as inclinações homoafetivas. Sentimentos podem voltar, bem como os desejos — e, com isso, retorna a possibilidade de recair na prática homoafetiva. A confissão e o arrependimento têm a ver com o que a pessoa que se identifica como homoafetiva tem praticado que desagrada a Deus, como atos sexuais, masturbação, consumo de pornografia, frequentar ambientes que causam excitação e promovem fantasias. Cada um pode ter sua própria lista de comportamentos que satisfazem sua homoafetividade, e cada um também sabe o que tem praticado que desagrada a Deus.

Assim, arrependimento e confissão implicam admitir tais comportamentos como pecaminosos e decidir afastar-se deles. É nesse contexto que aquele que confessa precisa admitir que tem prazer nessas coisas, mas, por obediência a Deus, ele deseja abandonar o comportamento. O pastor comentou: "Filho, a confissão é o início do processo. Vamos analisar outras atitudes que compõem esse processo. A batalha com pensamentos, desejos e práticas não termina com a confissão. Isso é só o início".

Perdoar e viver livre do passado

Como vimos anteriormente, as causas da homoafetividade são debatidas e até hoje a ciência não chegou a uma razão totalmente confiável e comprovada. Entre as possíveis causas psicológicas mais consideradas, em geral são apontadas um pai ausente e uma mãe dominante ou uma mãe superprotetora ou ansiosa pelo bem-estar do filho.[11] Paralelamente a essa possível, mas não determinante, razão psicológica, também aparecem experiências sexuais precoces, como abuso sexual, por exemplo.[12] Mesmo assim, segundo estudiosos, nenhum desses eventos é determinante para a homoafetividade. No entanto, ainda que essas experiências psicológicas não sejam a causa determinante do comportamento homoafetivo, como afirmam os estudiosos, elas aparentemente contribuem e por isso precisam ser tratadas.

O vazio gerado pela ausência de um pai firme e amoroso ou mesmo o estilo dominante de uma mãe superprotetora deixam marcas que precisam ser tratadas do ponto de vista psicológico e espiritual. E esse tratamento é necessário não por causa da homoafetividade, mas porque Jesus não nos chamou para uma vida de escravidão ao passado, mas para uma vida abundante. Da mesma forma, abuso resulta em culpa, mágoa, ressentimentos e danos à autoimagem. Surge, então, o questionamento: como lidar com tudo isso quando, de certa forma, isso pode ter contribuído — sem ter sido determinante — para um comportamento homoafetivo? A resposta está em três conceitos importantíssimos: perdão, graça e redirecionamento.

O passado com um pai ausente e com uma mãe superprotetora não pode ser rebobinado para ser revivido corretamente. Muitos foram assim porque não tiveram um modelo adequado para seguir ou não souberam agir corretamente. Pais falharam, filhos falharão e todos precisam da graça de Deus para olhar para o passado confiando que Deus reconstrói o que as experiências de vida destroem. Por isso, filhos que se ressentem da presença de um pai influente e marcante e receberam o poder da presença da mãe superprotetora precisam olhar para seus genitores com o olhar da graça, perdoando-os pelo que não puderam oferecer-lhes.

Graça e perdão também precisam ser oferecidos àquele que estuprou ou abusou sexualmente. A dor de ter sido abusado por quem deveria oferecer proteção precisa ser tratada. Tudo começa com o reconhecimento da dor e da mágoa. Quando perdoamos, deixamos de ser escravos de quem nos infligiu dor e, quando se oferece perdão, ficamos livres para amar como nunca amamos. O estupro, bem como o abuso não podem determinar a identidade de ninguém.

Perdoar o ofensor no contexto da homoafetividade é um dos processos mais profundos pelo qual alguém pode passar. E, ao mesmo tempo, é uma das experiências mais significativas para compreender como o amor de Deus nos afeta e nos conforta. A ajuda de alguém maduro é muito importante nesse processo, alguém com maturidade para ouvir e para encorajar no caminho da graça e do perdão. A vontade de vingança, natural para o contexto, precisa ser expressada. A dependência de Deus para o perdão tem de ser, acima de tudo, diária. Deixar a vingança nas mãos de Deus é uma questão de confiança. Perdoar o ofensor é uma decisão para ser vivida no poder do Espírito Santo, dia a dia.

Ao falar sobre graça e perdão, o pastor percebeu que o rosto de Cláudio estava avermelhando-se. Então, lhe perguntou:

— Você está bem?

Cláudio esmurrou o braço da cadeira, para, depois, irromper em lágrimas e soluços. No meio do choro, ele gritou:

— Como posso perdoar meu tio, que abusou de mim quando eu tinha entre sete e dez anos? Lembro como se fosse hoje de suas ameaças para que eu não dissesse nada a ninguém.

O pastor voltou a falar com Cláudio de forma firme, mas amorosa, encorajando-o a admitir a dor que sentia e que o momento de lidar com ela estava chegando. Ele tinha ouvido sobre o caminho a tomar e que Deus não o deixaria só, mas o capacitaria a perdoar o agressor, caso ele desejasse oferecer perdão. O pastor explicou que confissão, arrependimento e perdão faziam parte de algo maior que Deus desejava fazer na vida dele. E, desse algo maior, Cláudio precisava entender que lidar com a homoafetividade seria também uma batalha que precisava ser travada com conhecimento e armas corretas.

Batalhar por uma mente pura

A luta de um homoafetivo é, também, mental. É na mente que ele precisa escolher se vive a identidade que a cultura impõe ou a identidade em Cristo. Portanto, a primeira etapa da batalha é a decisão de resolver moldar o próprio pensamento não pelo que a cultura diz sobre o tema, mas segundo o que a Bíblia diz. A Escritura nos exorta a não deixar que nosso corpo seja moldado pelos valores do contexto em que vivemos. Em vez disso, precisamos deixar que Deus nos transforme por meio de uma mudança em nosso modo de pensar (Rm 12.1-2). Quem muda meu modo de pensar? O próprio Senhor Jesus, por meio do Espírito Santo que habita em mim. E o que ele usa? O padrão de Deus.

Portanto, à medida que nos deixamos ser alimentados pela Palavra, e não pela cultura em que vivemos, permitindo que verdades sobre nossa identidade em Cristo e o que Deus pensa sobre a homoafetividade nos permeiem a mente, vamos sendo transformados. Pensar e fantasiar o pecado pode trazer certa alegria, mas é momentânea. Por isso, essa mudança na forma de pensar precisa ser trabalhada por meio de pensamentos que edificam, e não de pensamentos que alimentam luxúria ou adultérios mentais. O apóstolo Paulo escreveu:

122   Cristão homoafetivo?

Por fim, irmãos, quero lhes dizer só mais uma coisa. Concentrem-
-se em tudo que é verdadeiro, tudo que é nobre, tudo que é correto, tudo que é puro, tudo que é amável e tudo que é admirável.
Pensem no que é excelente e digno de louvor. Continuem a praticar tudo que aprenderam e receberam de mim, tudo que ouviram
de mim e me viram fazer. Então o Deus da paz estará com vocês.

Filipenses 4.8-9

Isso significa que, quando fantasias sexuais com pessoas do
mesmo sexo assaltam a mente ou quando lembranças de experiências sexuais passadas voltam, a fim de proporcionar satisfação,
é preciso focar a mente não nessas coisas, mas na decisão de ter
uma mente limpa. Se a vontade de acessar um *website* pornográfico homoafetivo começa a vir à mente, é hora de escolher pensar
em Deus, lembrando-se de que fomos comprados pelo precioso
sangue de Jesus e que não somos tentados sem os recursos para
vencer a tentação. Quando somos surpreendidos por pensamentos
impuros, precisamos nos concentrar naquilo que é puro, naquilo
em que não teríamos vergonha de pensar sabendo que Deus vê
nossos pensamentos. É dessa maneira que a cultura do bem-estar
como alvo supremo é banida, e a mente passa a experimentar um
processo de metamorfose, preferindo glorificar a Deus como razão
de viver — mesmo com o desafio da homoafetividade.

Mas há outro aspecto da batalha. Não podemos esquecer que
na mente se trava também uma batalha espiritual. O alvo do inimigo é destruir a estrutura mental que foca em Deus levando-a
a focar na cultura, que diz que a homoafetividade é um caminho
aceitável. Por isso, é preciso lembrar que, ao procurar viver para
o Senhor, a pessoa está numa batalha espiritual. Não quero dizer
que o homoafetivo está possuído por demônios, mas que a homoafetividade se torna na mente daquele que quer seguir Jesus
uma área vulnerável, terreno fértil para o diabo semear confusão e insegurança. Portanto, a forma de batalhar é usando armas

espirituais, conforme apontadas em Efésios 6.1-20, em especial a oração e a sujeição de nossos pensamentos a Cristo.

Entregar-se de coração a Deus

Junto com confissão, arrependimento, mudança na forma de pensar, oração e sujeição dos pensamentos a Cristo, é indispensável dedicar nossa vida a Deus. A luta homoafetiva muitas vezes se torna uma espécie de espinho na carne de todo aquele que quer viver uma vida séria com Deus. Ao conversar com homossexuais que querem acertar sua vida, vejo neles esta angústia: querem viver segundo a Palavra, mas a luta interna é sempre excruciante. Sim, é intensa, não duvido. Mas também o apóstolo Paulo viveu uma tremenda batalha que ele chamou de "espinho na carne", conforme mencionado em 2Coríntios 12.1-10.

Paulo relata que lhe foi enviado "um mensageiro de Satanás" para atormentá-lo, a fim de que ele não se ensoberbecesse. Ao fazer uma comparação com alguém que tem inclinações homoafetivas, não estamos dizendo que a homoafetividade foi enviada por Deus, mas ressaltando o fato de que a homoafetividade inflige dor na alma de muitos, assim como o espinho penetrava de maneira angustiante o corpo de Paulo. O apóstolo pediu três vezes para se ver livre desse espinho, mas a resposta de Deus foi: "Minha graça é tudo de que você precisa. Meu poder opera melhor na fraqueza" (2Co 12.9).

A luta dos homoafetivos que desejam viver seriamente com Deus desgasta e enfraquece se não for travada no poder do Espírito. Quando Deus diz a Paulo "Meu poder opera melhor na fraqueza", o apóstolo reconhece que é de Deus que ele depende para não sucumbir à pressão de desistir de sua batalha, a ponto de dizer: "quando sou fraco, então é que sou forte" (v. 10). Somente na fraqueza se experimenta o poder de Deus. Quando a luta do homoafetivo tende a ser profunda e enganadora, a ponto de sussurrar "Faça o que quiser, pois você merece ser feliz", dedicar-se a Deus é o caminho do sucesso.

Qual é a implicação desse estilo de vida, permeado por lutas, mas também por confissão, mudança na forma de pensar, oração e submissão a Jesus? Por mais que uma pessoa com tendências homoafetivas não entenda sua história, uma vida celibatária é o caminho. Isso é algo que somente aqueles que lutam com a homoafetividade podem experimentar. A implicação é uma vida consagrada a Deus. Ao consagrar-se ao Senhor, como somos ensinados em Romanos 12.1-2, a pessoa toma a decisão de dedicar-se inteiramente ao Pai. O homoafetivo que quer consagrar-se ao Senhor precisa levar a sério a decisão de viver de forma celibatária ou ter um casamento heterossexual.

Essa pessoa pode entender que, uma vez que o plano de Deus para o casamento é a união entre homem e mulher, ela pode se casar. É importante ter em mente que não deve fazer isso para mostrar que é heterossexual ou simplesmente para satisfazer seu desejo por intimidade. A decisão de casar com uma pessoa do sexo oposto quando se tem desejos homoafetivos precisa ser muito bem trabalhada entre o indivíduo e Deus, e entre a pessoa e um conselheiro.

Quando um homoafetivo se casa com uma pessoa do sexo oposto, precisa se lembrar de que casar não cura sentimentos. Se optar por casar, case com o compromisso de, na dependência de Deus, amar ao Senhor e ao cônjuge como a si mesmo. Se casar, que se case por amor, e não para provar algo ou para dar satisfações a quem quer que seja, inclusive à igreja. Se resolver casar com alguém do sexo oposto, essa decisão precisa ser tomada com tempo para orar e para abrir o coração com o futuro cônjuge. Nesse caso, é a vida sentimental de duas pessoas que está em jogo, e não apenas a vida de uma.

Casar com uma pessoa do sexo oposto não vai necessariamente fazer cessar os sentimentos homoafetivos. Mas, havendo o compromisso de consagrar o próprio corpo ao Senhor, em submissão e dependência de Deus, a pessoa compreenderá "Minha graça é tudo de que você precisa". E, em sua fraqueza, em suas

Sou cristão e sou *gay*, pode ser?   125

tentações homoafetivas, ela entenderá que as tentações que lhe vêm são humanas e, junto com as tentações, Deus lhe dará os recursos para vencê-las. Mesmo nesse caso, o casamento pode ser profundamente realizador e prover a intimidade que todos buscam. Uma intimidade que não se resume à vida sexual, mas que é fruto de transparência e acolhimento do outro da forma como o outro é. Acolher o outro não ignorando os pecados dele, mas encorajando, servindo, amando e inspirando para o crescimento como fruto da graça na vida do casal.

A Bíblia nos lança um apelo: "Portanto, irmãos, suplico-lhes que entreguem seu corpo a Deus, por causa de tudo que ele fez por vocês. Que seja um sacrifício vivo e santo, do tipo que Deus considera agradável. Essa é a verdadeira forma de adorá-lo" (Rm 12.1). Essa dedicação é um apelo a todos, não apenas àqueles que lutam contra a homoafetividade. Mas, talvez, para esses o desafio seja singular. O heterossexual pode casar e lidar com suas compulsões sexuais dentro do contexto do casamento, mas o homoafetivo que deseja honrar Jesus não tem essa oportunidade. A cultura diz o contrário, mas a graça é suficiente para aqueles que querem ir contra a cultura e viver uma vida que agrada a Deus. Aceitar decidir por uma vida pura, apesar de inclinações pecaminosas, é a resposta sobrenatural ao apelo de Paulo.

Depois que o pastor conversou sobre a dedicação da vida a Deus, Cláudio fez um comentário.

— Nunca imaginei que poderia dedicar minha vida a Deus, mesmo com meus sentimentos homoafetivos.

— Lembre-se de que até Pedro, que traiu Jesus descaradamente, foi muito usado por Deus. Isso é resultado da graça.

Em seguida, o pastor perguntou:

— Você não quer tomar a decisão de dedicar todo o seu ser a Deus?

Pensativo, Cláudio respondeu:

— Dê-me mais tempo. Preciso que as verdades que ouvi criem raízes mais profundas.

126   Cristão homoafetivo?

— Tenha seu tempo, filho, mas lembre-se de que é Deus quem o capacitará a viver uma vida que agrade a ele. A decisão é sua; o poder é dele.

Após um instante de silêncio, o pastor continuou:

— Cláudio, quando veio aqui da primeira vez, você me disse que vivia maritalmente com um rapaz. Depois de ouvir tudo o que ouviu, como planeja lidar com essa situação?

— Por isso lhe pedi mais tempo. Preciso entender melhor o que ouvi. Preciso de mais tempo para que essas verdades penetrem em minha mente e em meu coração.

— Vá em paz, filho. Deus o dirija e sustente.

Cláudio agradeceu e, antes de sair, comentou:

— Minha saída de casa feriu muito meus pais, não porque saí, mas pela forma como aconteceu. Saí de um jeito que feriu minha ex-mulher e minha mãe de maneira muito profunda. Será que o senhor conversaria com eles sobre o que temos falado?

— Convide-as para vir aqui. Terei muita alegria de conversar com elas.

5 | MEU FILHO É *GAY*, O QUE EU FAÇO?

Como os pais podem lidar com essa descoberta delicada?

Cláudio levou sua mãe para conversar com o pastor. Ela chegou um pouco sem graça, aparentemente envergonhada, mas desejosa de falar e também de ouvir. Como toda mãe de homoafetivos, ela estava faminta por respostas a perguntas que talvez nem mesmo soubesse formular. Sua face carregava sinais de cansaço. O pastor a recebeu afetivamente e a fez entender que era aceita e bem-vinda incondicionalmente. Cláudio havia "saído do armário" havia dois anos, e as conversas dele com o pastor vinham acontecendo ao longo de quase um ano.

Descobrir que um filho lida com sentimentos e desejos homoafetivos é uma das maiores dores que um pai ou uma mãe pode sentir, pelo menos a princípio. Barbara Johnson, citada por Anita Worthen, certa vez disse: "Tomar conhecimento de que um filho é *gay* gera profunda agonia. É quase como enfrentar a morte de um ente querido. Mas, quando alguém morre, você pode enterrá-lo e dali a algum tempo a vida toma seu rumo novamente e você segue adiante. Com a homoafetividade, a dor parece nunca terminar".[1]

O pastor leu essa citação para a mãe de Cláudio e perguntou se ela havia passado por aquele tipo de agonia. "Ainda passo. A dor volta a cada dia e não sei ainda como lidar com ela".

A reação da mãe de Cláudio, dona Martina, não é rara. A dor se instala nos pais como um câncer. A confissão do filho sobre a homoafetividade vira muitas vezes uma agonia, a princípio incontrolável. Ora se perguntam se é verdade, ora negam o que ouviram, ora questionam "por que conosco?".

Quando um filho admite suas lutas homoafetivas para os pais, é como se uma bomba fosse despejada no colo deles. Para o filho é um dia de libertação; para os pais é o início de uma caminhada dolorosa, mas que, aos pés de Cristo, se torna uma experiência profunda de comunhão com Deus.

O filho vivia acorrentado àquela dor ou à vergonha e precisava expressá-la para as pessoas das quais ele mais espera aprovação; em contrapartida, para aqueles que ouvem, de repente castelos desmoronam. Para o filho, pode ser o primeiro passo em busca da definição de sua identidade; para os pais, talvez seja o primeiro dos dias mais terríveis que jamais imaginariam viver. Para o filho pode ser o começo de uma caminhada livre ou mesmo de uma confissão de culpa para ver-se livre dela; para os pais, pelo menos no início, o trilhar de dias nebulosos durante os quais tatearão por consolo, direção e apoio. Pais e filhos necessitarão de mútua compreensão, paciência para acolher e sabedoria para falar e ouvir.

Em meio a tudo isso, algo que nunca se pode esquecer: Deus sempre descortina o caminho da reconstrução, do perdão, do encorajamento e da direção.

"Eu nunca imaginei"

"Eu nunca imaginei" é uma expressão comum na boca dos pais quando ouvem do filho ou da filha a declaração de que é homoafetivo. Essa frase expressa o início de uma via dolorosa na qual caminharão, ora com o filho, ora apenas entre eles mesmos. Quais são as fases dessa jornada?

A primeira fase é a dos sonhos despedaçados. Os sonhos dos pais para o filho ou para a filha parecem que se foram. Os pais, por causa do choque, tendem a ver o futuro apenas pela lente daquele momento de confissão. O sonho de ver o filho formar uma família sai de cena, mesmo que por instantes. O sonho de ver os netos brincando no quintal da casa tornou-se apenas uma miragem distante.

É interessante que, nesse momento de sonhos aparentemente destruídos, os pais pensem apenas nos sonhos deles. Eles não podem se esquecer, porém, de que, talvez, alguns dos sonhos do filho que comunicou sua homoafetividade também estejam sendo adiados ou destruídos. Esses sonhos ainda podem se tornar realidade, mas muito mais à frente, se realmente acontecerem. Nessa primeira fase que os pais enfrentam, parece-lhes que Deus saiu de cena e a única coisa na qual podem focar é a descoberta a respeito do filho ou da filha. Quando os pais começam a imaginar os resultados dessa declaração tendem a imaginar um futuro do filho com HIV, sífilis e coisas semelhantes. Assim, a decepção começa a se instalar.

Outra fase que faz parte dessa trilha de dor é a da ira. Os pais ficam irados com o filho, como se tivessem sido traídos. Parece que todo o investimento emocional e material feito na vida do filho foi em vão. A princípio, os pais tomam a declaração do filho como uma agressão a eles ou mesmo uma rebelião contra os padrões morais e bíblicos adotados pelos pais. A pressão para procurarem "resolver" a situação do filho ou da filha toma proporções gigantescas.

Uma das primeiras reações nesse momento de ira é mandar o filho para um psiquiatra ou um pastor, na esperança de que eles "consertem" o filho. Essa atitude, cheia de boas intenções dos pais, pode criar outro problema para o relacionamento entre eles e o filho. Ao agir dessa forma, a mensagem passada, mesmo sem intenção, é de não aceitação do filho como ele é, prejudicando a busca por intimidade que o filho procura ter com os pais. Ninguém consegue ser íntimo de quem não o aceita.

Parte dessa fase de ira é, também, a sensação da perda de controle. O filho não se tornou o que o pai ou a mãe idealizou, e a sensação de impotência cresce dentro deles. A tentativa de retomar esse controle os torna mais vulneráveis e impotentes, criando um sentimento de profunda ira.

A ira pode vir camuflada pela negação do que ouviram. Por causa do choque, os pais podem dizer ao filho coisas como: "Filho, você não está bem, deve estar sob alguma pressão. Repense o que nos disse". Eles podem até mesmo se recusar a ouvir o que o filho estava tentando dizer, afirmando que ele está confuso e que eles não podem aceitar o que estão ouvindo. Se foi o caso, relembram que o filho até tivera um namoro com uma pessoa do sexo oposto, e isso prova que ele está equivocado. Negar a declaração do filho não muda a realidade. Será preciso enfrentá--la, mas no tempo próprio e aceitando as diversas fases do deserto que os pais vivenciarão.

A fase da ira associa-se à da culpa. Nesse momento, pais tentam trazer para si um tremendo peso, que, na realidade, é uma expressão de falsa culpa. Pais começam a perguntar: "Onde eu errei?", "Será que fui um pai ausente?", "Será que se eu tivesse orado mais por meu filho ele não teria realmente assumido sua heterossexualidade?", "Será que fomos muito rígidos ou muito liberais?", "Ah, quem sabe se tivéssemos lido mais a Bíblia com ele ou com ela, isso não teria acontecido".

Em muitas famílias, parece que a dor da mãe vem do mais profundo do ser, porque ela fala consigo: "Eu dei à luz um homoafetivo". É importante lembrar que ninguém gera um homossexual ou um heterossexual: pais geram filhos, e ponto final. O que os filhos se tornarão é algo que os pais não controlam. Em outras ocasiões, a mãe fala consigo: "Fiz tudo por esse filho. Cuidei dele, troquei fraldas, limpei feridas e agora esse corpo será entregue a outro homem, e não a uma mulher". Há, ainda, outras reações irascíveis, como querer expulsar o filho de casa ou exorcizá-lo, por achar que está possuído por uma entidade demoníaca. A ira muitas vezes cega os pais, por causa da dor que experimentam, fruto do choque que levaram.

Na trilha desértica que é aceitar a realidade da declaração do filho, os pais ainda não estão prontos para entender que a homoafetividade não é uma escolha de estilo de vida, tampouco fruto de um problema genético. Não existe um culpado. Vários fatores, como vimos no capítulo anterior, contribuem para a disposição homoafetiva. A dinâmica familiar pode ser uma delas, mas não é a única, nem é definitiva.

Ao mesmo tempo, pais se esquecem de que, além de não existir culpa por parte deles, seu filho cresceu. E, ao crescer, eles tomam suas decisões — que, muitas vezes, não são as que os pais tomariam. Não que a homoafetividade seja uma simples decisão, mas, se um filho que se diz seguidor de Jesus assume uma identidade homoafetiva em vez de viver sua identidade em Cristo, os pais não são responsáveis por essa escolha. A culpa falsa tem a ver com a ira oriunda da falta de controle. É como se os pais dissessem: "Não pude controlar meu filho e ele se tornou homoafetivo".

Isso é mais profundo, porque somente Deus tem controle total sobre a vida de alguém. E tentar controlar a vida do filho, especialmente se ele é adulto, torna-se um peso sobre-humano para os pais. Querer controlar a vida do filho é desejar ser Deus na vida do filho, o que é desumano. Por isso, esse peso precisa ser deixado ao pé da cruz.

Nenhum pai ou mãe tem poder de fazer de seu filho ou filha um homoafetivo ou um heterossexual. Quando os pais se sentem culpados pelo caminho errado que o filho está percorrendo, precisam lembrar de Adão e Eva. O primeiro casal teve Deus como pai. Eles foram criados perfeitos, falavam com Deus de viva voz, dia a dia. Ainda assim, pecaram. A culpa foi do Senhor? De forma alguma. Deus sofreu com a escolha de Adão e Eva, mas em nenhum momento sentiu-se culpado pelo erro dos dois. A escolha foi deles.

Ao ver os pais sofrendo, Deus também se compadece deles. Deus é o pai que entende de dores; ele sofreu ao ver seu único Filho ser crucificado, por isso é capaz de socorrer os pais em dores, dar esperança e se fazer presente na vida deles.

Os pais devem ter cuidado para que essa ira não venha a prejudicar o relacionamento deles, como casal. Quando essa ira não é bem tratada, os pais, à procura de um culpado, tendem a olhar para o outro como o responsável. Isso prejudica o relacionamento afetivo do casal que, mais do que nunca, precisa estar unido na caminhada desértica e, ao mesmo tempo, prover um ambiente estável para a família nesse período de ajustes.

Às vezes um cônjuge resolve ser o protetor do filho homoafetivo e o outro, mesmo que silenciosamente, assume o papel de acusador ou daquele que, explícita ou inconscientemente, rejeita a realidade do filho. Ao longo dessas mesmas reações, os pais podem assumir o papel de defensores da causa *gay* ou rever suas posições bíblicas sobre o tema, simplesmente porque acham que, ao fazer isso, estão comunicando estar ao lado do filho para o que der e vier.

Ao tomar posições como essas, os pais imaginam que talvez estejam contribuindo para diminuir o peso do estigma que o filho receberá. No entanto, o filho que se declarou homoafetivo, especialmente se ele já é adulto, não está procurando um defensor. Ele está apenas buscando saber se os pais o aceitam como ele é. Tomar partido não gera segurança, mas inflama o debate e a disputa dentro da própria casa. Nenhum filho quer dividir uma família por causa da sua homoafetividade.

Nesse processo, os pais podem pensar: "O que vão dizer de nós?" ou "O que a igreja vai querer fazer com nosso filho?". Nesse caso, parece que a ira não tem a ver tanto com o estado do filho, mas com a imagem dos pais. E isso precisa ser tratado, para o bem-estar de todos da família. O filho pode ter um problema de homoafetividade, mas os pais podem ter um problema de orgulho e serem centrados neles mesmos, ainda que amem os filhos profundamente. Com certeza, no processo de tratar dos filhos, Deus também quer tratar daquilo que não é saudável na vida dos pais. E esses pais devem procurar ajuda.

Desapontamento com Deus também faz parte da trilha desértica que os pais enfrentam quando descobrem que um filho é homoafetivo. Os pais creem que Deus é soberano sobre todas as coisas, incluindo a sexualidade dos filhos. Assim, se perguntam por que Deus deixou que o filho trilhasse esse caminho. É quando surgem conflitos de ordem espiritual. Como um Deus bom deixa isso acontecer?

Junto com todos esses questionamentos, muitas vezes vem à mente dos pais um dos principais trechos da Bíblia sobre criação de filhos: "Ensine seus filhos no caminho certo, e, mesmo quando envelhecerem, não se desviarão dele" (Pv 22.6). Textos como esse, se não forem postos ao lado de uma teologia bíblica de vida cristã correta, confundem as pessoas. O texto não está dizendo que, se o filho for instruído no caminho do Senhor, ele deixará de ter a liberdade de escolher o que quer. Se fosse assim, por exemplo, a salvação de uma criança seria garantida pelo pai que lhe ensinasse como os pecados são perdoados. O caminho não seria apenas Jesus, mas seriam Jesus e a instrução do pai. Claro que esse texto tem difícil interpretação, especialmente quando os pais veem os filhos se desviarem do caminho no qual foram ensinados. Pais precisam ter em mente que o papel deles é ensinar à criança o caminho de Deus. Porém, isso não lhes dá controle sobre o que os filhos farão com esse ensino. O resultado está nas mãos de Deus e na decisão dos filhos.

Os pais precisam conversar acerca dessa experiência de desapontamento com Deus. É falando da dor, do desapontamento, da admissão da ira que o processo de reconstrução "pós-*tsunami*" começa. Na trilha desértica, os pais passam pela fase dos sonhos despedaçados, pela fase de negação, ira, culpa e questionamento de Deus. Mas existe o outro lado da trilha desértica. O fim dessa trilha não é a volta do filho à heterossexualidade, embora isso seja possível, mas saber que em tudo Deus se faz presente, que sua presença reconfortante não deixou de existir e que é possível confiar nele quanto ao cuidado com o filho. Ao ouvir essa última frase, dona Martina comentou:

— É disso que eu gostaria. Mas como posso experimentar essa presença e esse consolo de Deus para aliviar minha dor?

Antes de continuar a conversa, o pastor perguntou-lhe:

— Seu marido não quis vir?

— Quando Cláudio declarou-nos que era homoafetivo e que estava vivendo com outro homem, meu marido reagiu com ira. Tornou-se um homem mais silencioso do que já era e quase não fala do assunto.

A reação do pai de Cláudio não é surpresa. Embora cada pai reaja de modo diferente, alguns sentimentos são comuns. Primeiro o sentimento de culpa, que é camuflado pela ira. Por ser o homem da casa, o pai se sente responsável pela sexualidade do filho, pois ele mesmo não foi capaz de "produzir um macho". A esse sentimento de culpa ou de fracasso, ele associa a vergonha. Surge a preocupação sobre o que vão falar dele e do filho. Por isso, em geral o pai se recolhe, vai para uma caverna. É melhor ignorar o assunto do que enfrentá-lo, porque enfrentar a questão será muito dolorido.

Tanto o pai como a mãe precisam de um grupo de apoio ou de ser ouvidos por alguém que os acolha sem julgá-los, para que o casal seja encorajado a lidar com o problema do filho. Quando o pai se sente desolado, agredido ou fracassado ao descobrir que tem um filho homoafetivo, seu melhor refúgio é correr para Deus. No Senhor o homem acha a melhor caverna onde se esconder e ser fortalecido para lidar com o filho. Deus não o deixará sozinho na caverna, mas o dirigirá e capacitará. Ele o chamará para fora a fim de tratar dele também, pois, no relacionamento com o Pai, também a identidade do pai é tratada e reconstruída.

E quando um pai ouve de uma filha: "Pai, eu sou lésbica"? Talvez essa confissão toque no coração do pai de outra forma, diferentemente de quando a confissão vem de um filho. Mesmo assim, as reações são semelhantes. O pai, no entanto, pode aproveitar o contexto para lidar também com algumas questões íntimas e pessoais, que não teriam vindo à tona se o problema não houvesse ocorrido. Assim, a primeira atitude que ele precisa tomar, depois do susto, é pedir à filha que fale mais sobre o que disse. Isso comunica que a pessoa de quem ela mais precisa afirmação não a rejeitou, mas a acolheu.

Também para o pai o sonho de um dia entrar com a filha na igreja, levando-a até o noivo, pode parecer destruído. Mas, nessa hora, o mais importante não é o sonho do pai, mas aquilo de que a filha precisa. Ela necessitará da aceitação do pai, sem, contudo, significar aprovação. A filha, se não viveu, viverá momentos de confusão e será esmagada por perguntas existenciais, mais do que quando a situação é com um rapaz. E, nesse momento, o pai pode ser o grande farol para ela. Como mencionamos em outras partes deste livro, o pai não pode assumir o papel de Deus, querendo mudar a filha. Isso é sobre-humano. O que o pai precisa é refletir Jesus para a filha, ouvindo-a, posicionando-se quando necessário, amando-a, como o Senhor amaria, sem que isso signifique aprovação de um estilo de vida.

O pai precisa correr para Deus e, se for o caso, admitir sua impotência e raiva. E, acima de tudo, precisa dizer ao Senhor: "O que tens para mim neste processo?" ao mesmo tempo que traz a filha para perto, comunicando amor, firmeza e disponibilidade. Jesus faria assim. Ele não aprovaria o comportamento pecaminoso, mas acolheria a pessoa. O pastor disse à dona Martina:

— Por favor, diga a seu esposo que terei muita alegria em conversar com ele. Sou homem também e posso imaginar como isso o tem afetado. Ele será muito bem-vindo e terei prazer em ouvi-lo, sem julgá-lo, mas acolhendo-o.

Os sinais de luz no fim túnel surgem quando os pais se voltam para Deus e, juntos, buscam ajuda. O passado não tem como ser revivido para ser modificado. A realidade precisa ser

136   Cristão homoafetivo?

enfrentada de forma sábia, corajosa e na dependência de Deus. Dores que a vida traz podem ser curadas pela graça de Deus. Por isso, os pais precisam desenvolver algumas atitudes a fim de que a homoafetividade do filho ou da filha não os destrua. É possível viver uma vida sã como pais de homoafetivos.

Aceitar sem aprovar ou ser conivente

O conflito interior dos pais está em como continuar amando o filho ao mesmo tempo que desaprovam a conduta dele como homoafetivo. A sensação que se tem após ouvir a declaração do filho é a de estar vivendo um pesadelo. Mas é uma realidade que precisa ser enfrentada. O filho continuará sendo filho. Mas, agora, ele está trazendo uma nova realidade, que por sua vez talvez traga um questionamento implícito: "Meus pais ainda me aceitarão?".

É uma expressão da graça aceitar um filho como ele é. Deus nos aceita como somos e, quando aceitamos outros como eles são, refletimos Deus. O Senhor resolveu nos amar, a despeito de nossas mazelas, escolhas erradas ou desvios. Jesus acolheu a mulher samaritana, Zaqueu e Nicodemos. Acolher refere-se a uma atitude amorosa comunicada ao outro independentemente do que o outro é ou faça.

Mas aceitar não é aprovar. Aceitar não é ser conivente. Aceitar é acolher o outro como ele é sem necessariamente impor uma mudança. Jesus acolheu a mulher samaritana, mas não aprovou o comportamento dela; o mesmo é verdade para Zaqueu. Ao entrar na casa de Zaqueu, Jesus o acolheu como pessoa, embora não aprovasse o comportamento dele como cobrador de impostos corrupto. A diferença entre a atitude de Jesus com Zaqueu e o pai de um homoafetivo é que Jesus tem o poder de transformar pessoas. Os pais não. Os pais têm o poder de acolher, mas podem escolher aprovar ou desaprovar a conduta do filho homoafetivo.

Essa é uma distinção prática e profunda que os pais precisam vivenciar no relacionamento com o filho homoafetivo. Eles não têm como fazer que os filhos deixem de ser filhos nem como mudar o comportamento sexual deles, mas podem expressar seu amor e, ao mesmo tempo, discordar das atitudes contrárias a seus valores e suas crenças. Os pais podem e precisam acolher o filho homoafetivo, no entanto esse acolhimento não significa endossar o estilo de vida que o filho pode ter escolhido, especialmente se contraria o que os pais creem ser o que Deus aprova.

Os pais precisam dizer ao filho que o amam, de forma serena e pensada. Essa afirmação precisa ser repetida racional e emocionalmente tantas vezes quanto forem necessárias. Mas, da mesma forma, os pais precisam dizer amorosa e firmemente que, embora o amem, não podem aprovar o estilo de vida que ele está vivendo.

Alguns pais podem ficar confusos com o que estou dizendo, por temor de que, ao dizer ao filho que o amam do jeito que ele é, possam dar sinais de que aprovam o que ele está fazendo. Filhos e pais precisam entender que nem um nem outro têm poder sobre o que um gostaria que o outro fosse ou se tornasse. Mas filhos e pais podem afirmar o amor e a aceitação mútuas, sem impor a aprovação de qualquer comportamento. O pai pode lhe dizer: "Filho, sua mãe e eu nunca deixaremos de amá-lo. Você é nosso filho. Mas, quando você diz que quer viver maritalmente com outro homem, não temos como aprovar sua decisão. Ela vai contra nossos valores e como entendemos que um casamento deve ser". Como o filho vai entender ou se sentir a respeito do que ouviu é uma questão individual. Mas a mensagem de amor foi transmitida sem demonstrar aprovação da homoafetividade. Em contrapartida, o filho não pode impor que os pais gostem do que ele gosta, mas precisa ouvir e crer no que os pais lhe disseram. Existe dor dos dois lados, por isso mesmo certas distinções precisam ser pensadas e comunicadas.

Deus nos acolhe e nos ama como somos. Mas Deus não aprova quando mentimos, roubamos, adulteramos ou cometemos qualquer outro pecado. Podemos até continuar roubando, mentindo e adulterando, e Deus continuará nos amando, mas nunca aprovará o que estamos fazendo. Deus nos acolhe e nos abraça, sem, contudo, ser conivente com nossos erros. Deus expressa seu amor para conosco ao mesmo tempo que expressa sua discordância com nosso estilo de vida. Assim, a distinção entre aceitação e aprovação é crucial para os pais viverem de forma sadia com o filho homoafetivo. Quando os pais conseguem fazer essa distinção, de certa forma estão refletindo o amor de Deus para o filho.

Ouvir, falar, perdoar

Pais de homoafetivos têm dores. Homoafetivos têm dores. Ambos precisam de ouvidos amorosos e pacientes. Se, ao descobrir que um filho é *gay*, alguns pais têm seus sonhos despedaçados, isso também ocorre com muitos filhos. A sombra de ser estigmatizado e rejeitado paira sobre o rapaz ou a moça, da mesma forma que sobre os pais. Todos na família têm muito o que dizer e o que ouvir.

Depois que o impacto da declaração ou da descoberta passa, uma das coisas mais sábias que os pais podem fazer é pedir a Deus paciência para ouvir o filho ou a filha que declarou sua homoafetividade. A paciência é um dos conceitos mais importantes no processo de lidar com a nova realidade. Filhos e, especialmente, os pais são encorajados a mais ouvir do que falar, por isso é sábio ter em mente: "Falar sem antes ouvir os fatos é vergonhoso e insensato" (Pv 18.13).

Esforçar-se para ouvir o filho é a tentativa do pai e da mãe de comunicar acolhimento. Deixe que o filho diga o que sente e o que espera dos pais. Ao ouvir o que o filho gostaria de ter dos pais, é preciso que eles se lembrem de pelo menos três coisas. Primeiro, os pais precisam ouvir o clamor do filho por aceitação sem necessariamente aprovar o comportamento que ele pretende seguir. Segundo, é fundamental lembrar que homoafetividade não é uma escolha. Terceiro, o filho pode ter valores e práticas diferentes dos pais. Os pais não podem fazer escolhas pelo filho adulto, logo não podem tomar o comportamento do filho como algo pessoal contra eles.

Ao procurar ouvir o filho, os pais podem ouvir coisas desagradáveis e expressões que nunca imaginariam que escutariam dele. Certo pai dividiu comigo a dificuldade que teve ao ouvir de um filho como estava apaixonado por outro rapaz. Disse-me aquele homem: "Meu filho falou da paixão dele por outro homem da mesma forma que ouvi minha filha falar da paixão que sentia por aquele que viria a se tornar o marido dela". Nessa hora, o papel do pai não é recriminar o filho ou explicar todas as razões teológicas que ele tem para discordar do filho. Não. É hora de ouvir. Lembre-se de que aceitar não é ser conivente nem aprovar. Mas o filho precisa de um ouvido que não o julgue, mas que o ouça.

Numa hora de conversas delicadas como a que esse pai teve, é muito fácil perder a paciência. Se a conversa for permeada por ira ou animosidade, o processo de ouvir será destruído porque pai e filho procurarão defender suas convicções, e este é o tipo de debate que minará o relacionamento entre eles.

Quando o pai ou a mãe perde a paciência, uma tendência natural é destilar novamente para o filho quão pecador ele está sendo. Mas, sempre que um filho adulto vai aos pais a fim de declarar sua inclinação homoafetiva, ele já ponderou muito sobre essa conversa. Portanto, não é uma argumentação teológica que mudará o filho nesse momento. Pais não podem entrar nesse debate, porque perderão a oportunidade de ser ouvidos. O propósito de ouvir é ouvir antes de falar, comunicando acolhimento sem necessariamente aprovação. Apenas Deus tem o poder de mudar o filho.

Ao procurar acolher o filho homoafetivo, os pais podem entrar por um caminho não saudável de assumir uma culpa que não existe. Alguns pais parecem, às vezes, querer dizer para o filho: "Perdoe-me por ter feito de você um homoafetivo. Fui muito ausente como pai ou muito rígida como mãe". Caso haja

140 Cristão homoafetivo?

algo a ser reparado no relacionamento pai e filho, essas conversas são um bom momento de reparo. Se o pai reconhece que foi ausente ou se a mãe reconhece que é ou foi superprotetora ou controladora, existe, sim, espaço para admissão e pedido de perdão, uma atitude que pode curar muito das dores do filho homoafetivo, embora não mude sua tendência homoafetiva. A atitude do pai e da mãe ao pedir perdão restaurará o relacionamento. Será uma chance de sentir a graça de Deus na própria pele. Isso é gratificante e um dos grandes resultados das conversas que podem ser criadas entre pais e filho numa mesa de restaurante ou mesmo na sala de casa. Em todo esse processo de perdão, com certeza Deus está trabalhando na família como um todo, gerando amor incondicional, generosidade afetiva e encarnação da graça.

Ouvir é o caminho que abre as portas para o falar. Quando os pais ouvem pacientemente, o filho pode falar. E, ao abrir espaço para o filho se expressar, os pais ganham o direito de também poder compartilhar o que vai no coração deles. Admitir a própria raiva pode ser muito saudável para o bom andamento do relacionamento e a compreensão mútua. Nessas conversas, ser vulnerável traz segurança, porque o respeito mútuo está sendo construído transparentemente, a despeito de divergências morais ou bíblicas. E, ao fazer isso, os pais começam a gerar segurança no filho homoafetivo, pois ele sabe que os pais estarão a seu lado quando precisar.

Essas conversas devem ser cultivadas, o que leva tempo. Quando as tensões e os medos são comunicados, parte da ansiedade se esvai. Nesses diálogos, pais e filhos se comunicam, tratam de divergências e demonstram melhor o conceito de acolher sem ser conivente. Se os pais percebem que em algum momento foram infelizes ao pronunciar palavras de condenação ao filho, uma conversa franca de admissão de erro e pedido sincero de perdão pode trazer mais intimidade e facilidade de comunicação entre eles.

Se as conversas se tornarem tensas, a melhor coisa para os pais é sair de cena e correr até Deus. É com o Senhor que as frustrações precisam ser tratadas. Quando Davi estava fugindo de Absalão, cheio de frustração pela traição do próprio filho, ele orou e disse: "Clamei ao SENHOR, e ele me respondeu de seu santo monte" (Sl 3.4). Depois de prestar atenção silenciosamente sobre ouvir e falar, dona Martina, mãe de Cláudio, disse:

— Sinto ira, às vezes, contra o filho que amo, mas quero aprender a falar amorosamente com ele. Mas também me sinto irada com meu esposo, que parece ter me abandonado, com seu silêncio, nessa trilha desértica que o senhor mencionou.

O pastor pensou um instante e respondeu:

— Voltaremos ao assunto da ira, mas deixe-me comentar algo sobre seu marido. Será que ele não está também sofrendo por não saber lidar com a situação e por isso fica em silêncio? Vai chegar a hora de ele lidar com a dor.

Comunicar limites

Pais de homoafetivos precisam de sanidade e paz nos relacionamentos familiares. O filho adulto precisa saber como relacionar-se com os pais, especialmente se ele tem um namorado ou vive maritalmente com alguém do mesmo sexo.

Limites é outro conceito-chave para promover um bom relacionamento entre pais e o filho que se declarou homoafetivo, especialmente se ele ainda vive em casa com os pais. Alguns pais não estabelecem nenhum limite para o filho, como forma de comunicar aceitação, mesmo contra a vontade. Ao tomar essa posição, os pais violentam a si mesmos e criam conflitos interiores que muitas vezes afetam a própria saúde emocional. Eles discordam do estilo de vida do filho homoafetivo, mas, ao não estabelecerem limites, comunicam o contrário. Era como se estivessem dizendo: "Tudo bem, viva como quiser, que não nos incomodamos", quando na verdade se incomodam muito.

142   Cristão homoafetivo?

Outros pais, para comunicar o desacordo, preferem não ver o filho e partem para o outro extremo. Assim, nas festas familiares, o filho só é bem-vindo se comparecer sozinho. Tanto uma como outra abordagem podem funcionar bem apenas para um dos lados. Até certo ponto, famílias precisam pensar no que pode ser bom para ambos os lados, e não apenas para um. Mas os pais não podem se esquecer de que a casa é deles, e não do filho. Assim, cabe aos pais estabelecer o que pode e o que não pode no recinto do lar.

Por causa disso, expressar o que cada um pensa e sente é crucial. Se pais não se sentem bem em receber o parceiro do filho nas reuniões familiares, isso precisa ser dito ao filho. Nessa hora, é muito importante cada um expressar-se de forma séria e clara. Os pais precisam ser honestos e dizer ao filho que ainda não estão preparados para a convivência. Pode ser que um dia eles aceitem ter o parceiro do filho em casa para uma refeição ou mesmo para uma festa, mas, se esse dia ainda não chegou, é preciso respeitar isso.

Outro limite é imaginar como os pais se sentiriam se permitissem que o filho fosse com o parceiro para casa e se poderiam dormir no mesmo quarto. Isso pode parecer muito superficial, mas, para alguns pais, pode ser algo muito importante, por causa de seus valores e de suas crenças religiosas. Mais uma vez, o limite precisa ser comunicado. Se para os pais ver o filho dormir com alguém do mesmo sexo é desconfortável ou fere seus princípios de vida, isso precisa ser dito amorosa e firmemente ao filho. Como ele se sentirá não é algo que os pais possam controlar ou impedir, mas a comunicação precisa ser feita.

Os filhos homoafetivos têm de entender que a casa é, antes de tudo, do pai e da mãe e cabe a eles dizer o que permitem ou não na casa e estabelecer limites. Respeito ao outro é saudável e necessário. Respeitar o outro traz liberdade, porque cada um saberá agir dentro do estabelecido no território alheio. O filho homoafetivo tem o desafio de procurar entender e aceitar as convicções dos pais e dar espaço para que eles processem a nova realidade que estão vivendo. Esse é um processo longo, muitas vezes desértico, mas que tende a se ajustar, à medida que a comunicação é estabelecida e o amor e a graça são estendidos entre pais e filho.

Muitas das situações podem ser previstas, como aniversários, festas de Natal e outras. Nessas ocasiões, a parceira da filha será bem-vinda ou não? No aniversário do filho, mesmo sendo na casa dele, os pais se sentirão bem ao encontrar o filho com o namorado? Se não, os pais precisam comunicar isso, e outro contexto de celebração deve ser encontrado, se assim preferirem. Nesse contexto é preciso ocorrer compreensão mútua. Limites comunicados impedem situações desagradáveis e conflitos desnecessários.

Ao longo do tempo e das conversas com o filho, os pais podem rever os limites estabelecidos. Algo que precisam ter em mente é que o parceiro do filho não tem culpa da escolha de comportamento dele. Essa outra pessoa também precisa ser vista com compaixão e ser tratada como Jesus a trataria, um exercício que pais precisam praticar, na dependência de Deus.

É assim que Deus trabalha conosco. Muitas vezes fazer o que Deus quer pode trazer desconforto e mesmo dor. Mas, por querer honrar a Deus, fazemos sua vontade. Assim, para a própria sanidade relacional dos pais com o filho, eles precisam comunicar-lhe como se sentem em determinadas ocasiões ou como se sentiriam — e dizer o que aceitam e não aceitam. Estabelecer limites não é disciplina ou punição para os filhos, mas leva à criação de um ambiente de segurança, onde cada um sabe o que fazer e esperar dos outros.

Proteger o casamento

O processo de lidar com a homoafetividade no lar pode gerar conflitos matrimoniais e destruir um casamento. O pai pode culpar a esposa, e vice-versa, pela situação do filho, algo que já comentamos que não existe. No processo de querer ser aceito e confundir aceitação com aprovação, o filho homoafetivo pode manipular um dos pais e pôr um contra o outro. O desgaste das conversas sem fim, no início do processo, pode também prejudicar um relacionamento que talvez já estivesse desgastado por outras razões, abrindo caminho para um rompimento. Por causa disso, é fundamental cuidar do filho sem esquecer do casamento.

Olhando de uma perspectiva espiritual, a luta do pai e da mãe não é apenas contra o estilo de vida do filho. É uma batalha espiritual, pois o diabo, que é o maior inimigo da família, também se aproveita da situação para separá-la e destruir o que poderia ser um abrigo emocional para todos.

Por causa disso, marido e esposa precisam separar tempo para ficar a sós, conversar sobre como estão se sentindo, orar pelo filho, expressar o amor de um para o outro. Se no processo de cuidar do filho alguma vez foram rudes, precisam pedir perdão e perdoar. É muito fácil focar demais no filho e esquecer que o marido precisa da admiração da esposa e ela, do carinho e do afeto do marido. Se alguma vez um acusou o outro de ser responsável pela situação do filho, isso precisa ser tratado, consertado e perdoado. Como já temos afirmado, o comportamento do filho é responsabilidade do filho. Ele é adulto e capaz de arcar com as consequências de suas decisões.

Além disso, marido e mulher não podem focar apenas na situação do filho homoafetivo. Se o casal tem outros filhos, eles também precisam da atenção e da energia dos pais. Se os pais gastam toda a energia com o filho que se declarou homoafetivo, outros problemas podem surgir, seja entre marido e mulher, seja entre o casal e os outros filhos. Em contrapartida, se os demais filhos veem os pais cuidando um do outro e dando atenção a seus irmãos, serão encorajados e até se tornarão parceiros dos pais no cuidado com a família.

A pressão emocional de uma descoberta de homoafetividade na família não pode ser carregada sozinha pelos pais. Por isso, seja por um tempo curto, seja por um tempo prolongado, o casal deve buscar ajuda. Pode ser a de um pastor, terapeuta, grupo de apoio, célula familiar de cuidado pastoral ou algo similar. O importante é que o casal precisa ter com quem compartilhar sua dor ao caminhar na trilha desértica. Quando dividimos nossas cargas emocionais com outros amigos que seguem Jesus, criamos um contexto onde a lei de Cristo é vivenciada e a consolação divina, recebida. Muitas vezes é nesse contexto que o consolo de Deus vem (cf. 2Co 1.1-4). Quando pais buscam apoio emocional e espiritual, eles se ouvem, ouvem outros e descobrem que são amados não por serem uma família perfeita, mas por causa da graça.

Ter um filho homoafetivo não é o fim de um casamento. Tampouco é o fim da vida do filho homoafetivo. Pelo contrário, a situação pode contribuir profundamente para fortalecer um casamento. Marido e mulher podem se virar um para o outro a fim de, juntos, expressar a graça de Deus para seu filho e buscar no Senhor a força e a sabedoria para atravessar um período desértico da vida.

Confiar em Deus

No processo de lidar com a homoafetividade do filho, pais podem descobrir como nunca o cuidado de Deus. Quando alguém na família fica doente por muito tempo, a doença pode tornar-se um instrumento de Deus para tratar a família de problemas que nunca teriam sido enfrentados se não fosse aquela enfermidade. Gosto de imaginar que, ao lidar com a homoafetividade na família, cada um pode perguntar: "O que isso tem a ver comigo?" ou "O que Deus quer me dizer?".

Essas perguntas não devem gerar culpa, pois, como já repetimos propositadamente algumas vezes, é desumano culpar alguém pela homoafetividade de outro. Mas Deus pode usar as circunstâncias para causar mudanças na família. Pode ser o preconceito, não apenas contra homossexuais, mas contra qualquer outra pessoa diferente do que alguém na família poderia chamar de normal, por exemplo. Deus usa a questão em foco para desenvolver

146 Cristão homoafetivo?

na família mais sensibilidade com os de fora ou mesmo para aprofundar o conceito da graça. Comunicar graça ao diferente de mim é uma experiência sobrenatural, que expressa o amor de Deus com essa pessoa. As disfunções que toda família vivencia, em maior ou menor grau, finalmente podem ser enfrentadas em um ambiente permeado por amor e graça.

Com certeza, lidar com a homoafetividade no lar oferece aos pais uma das maiores oportunidade de receber o "pão nosso de cada dia", segundo Jesus ensinou (cf. Mt 6.9-13). Pais que seguem Jesus serão desafiados o orar todos os dias pelo filho. Algumas — ou muitas — vezes a sensação que experimentarão é a de que Deus está distante. É nessas circunstâncias que os pais precisarão de Jesus, o pão da vida, para fortalecê-los não para a semana, mas para o dia. Esperar pela resposta de Deus será um exercício algumas vezes dolorido. Pais aprenderão a lidar com orações não respondidas, pelo menos no tempo em que esperariam que Deus lhes responderia. No relacionamento mais profundo com o Senhor, os pais descobrirão que o maior ganho deles talvez não seja ver o filho abraçar a heterossexualidade, mas experimentar uma relação com Deus tão profunda que os capacitará em meio à decepção de não ver uma mudança de estilo de vida.

Muitas vezes pais se chocarão ou se decepcionarão quando o filho passar a apresentar trejeitos femininos ou a filha, trejeitos masculinos. Nessa hora, em vez de dizer que ele ou ela precisa mudar, os pais precisam correr para Deus no intuito de pedir graça para si mesmos, a fim de lidar com a situação sem rejeitar o filho ou a filha ou entrar numa batalha para modificar um ou outra. Só Deus tem o poder de causar mudanças.

Da mesma forma que adultos homoafetivos que querem honrar a Deus devem encarar sua homoafetividade como um espinho na carne, pais devem ter essa mesma atitude. Talvez venham a orar não somente três vezes, como o apóstolo Paulo, mas dezenas de vezes, pedindo que Deus mude seu filho, sem que

Deus responda como eles desejariam. É nessas circunstâncias que os pais também precisam ouvir "Minha graça é tudo de que você precisa".

Por causa disso, os pais têm de decidir entregar o filho a Deus, isto é, dar-lhe o controle daquilo que eles não podem mudar e deixar que o Senhor cuide dele. Quando o chamado filho perdido, da parábola de Jesus, saiu de casa, houve certo período entre o dia no qual ele pediu a herança adiantada e o dia em que finalmente partiu do lar. Embora a história de Lucas 15 seja uma parábola, um detalhe interessante faz parte do que Jesus falou. O pai não disse ao filho para ficar ou sair. O pai apenas deixou o filho ir. Trazendo para a vida real, pais precisam "deixar o filho homoafetivo ir". Isso implica deixá-lo assumir responsabilidades por sua vida sem que os pais o controlem. Haverá dor, medo e dúvidas, mas em última análise apenas Deus pode cuidar de um filho adulto. E, vale a pena lembrar, aquilo que os pais não veem, Deus vê.

Ao deixar o filho ir, os pais o estão deixando ao pé da cruz, o estão entregando a Deus. Os pais também estão deixando a ansiedade ao pé da cruz. Angústia, ansiedade e recaídas virão, mas é nessa hora que a prática de 1Pedro 5.6-7 faz sentido: "Portanto, humilhem-se sob o grande poder de Deus e, no tempo certo, ele os exaltará. Entreguem-lhe todas as suas ansiedades, pois ele cuida de vocês".

Aquele que o comprou com o próprio sangue é quem diz: "Entreguem-me todas as suas ansiedades, pois eu cuido de vocês". Essa entrega da ansiedade a Jesus é um ato de humildade, é o reconhecimento de que os pais não têm o poder de mudar o filho nem de controlá-lo — por isso, o pai e a mãe se entregam aos cuidados de Deus e, consequentemente, também entregam o filho nas mãos dele.

Entregar-se a Deus dará serenidade aos pais, e essa serenidade melhorará os relacionamentos interpessoais, porque pais deixarão de querer controlar o filho, que se sentirá mais livre

148 Cristão homoafetivo?

para buscar a identidade que deseja ter. É preciso aguardar com esperança, o que significa crer que Deus tratará da angústia, do medo, da ansiedade. Aguardar com esperança implica entregar o lamento a Deus sempre que a ansiedade bater à porta. E o Senhor, em sua infinita bondade, consolará e fortalecerá cada dia o coração dos pais.

Enquanto isso, mesmo que os pais achem que Deus está silencioso, ele está lidando com o filho. O silêncio de Deus não significa que ele está inativo, tampouco que mudará o filho como os pais esperam. Quando trazemos a ansiedade, o medo e a angústia pessoal, bem como a saúde e o futuro do filho perante Deus, podemos esperar a intervenção dele, no momento dele — mas, também, que ele agirá no coração dos pais. É assim que o casal experimentará a paz de Deus (cf. Fp 4.6-7).

A essa altura da conversa, o pastor perguntou à dona Martina:

— Como a senhora se sente ao ouvir sobre o desafio de entregar-se e também ao Cláudio aos cuidados de Deus?

— Gostaria de ter ouvido isso antes, mas fui confortada.

— A senhora gostaria de orar agora, entregando sua ansiedade ao Senhor, bem como a vida de seu filho?

— Sim, pastor, é isso que preciso fazer e, como o senhor mesmo disse, repetir essa entrega cada vez que a dor, o medo ou a angústia voltar.

Cláudio pediu para falar com a mãe, e lhe disse:

— Mãe, gostaria de lhe pedir perdão, pois fui rude e grosseiro quando falei sobre minha homoafetividade. Sei que a senhora ora por mim. Quero lhe dizer que minha luta continua, mas estou percebendo Deus trabalhar em meu coração. Espero logo conversar também com meu pai, na hora oportuna.

Dona Martina respondeu:

— Filho, tenho ainda muitas dores na alma. Mas também quero lhe pedir perdão, pois tomei sua homoafetividade como uma agressão a mim e também fui rude com você. Hoje entendo que não foi uma escolha sua, mas não sei se entendo tudo o que está envolvido na sua situação. No entanto, quero dizer que o aceito como você é, embora eu tenha dificuldades em acolher seu comportamento. Mas quero afirmar que eu o amo.

Os três oraram. O pastor ficou surpreso por Cláudio desejar orar pedindo a Deus que o ajudasse com seus conflitos e com suas perguntas ainda sem respostas. Dona Martina agradeceu a Deus por ter recebido esperança e disse que resolvia confiar no Senhor sobre o futuro do filho.

Quando os pais se fortalecem em Deus no contexto de suas dores, a sanidade passa a ser vivenciada. É um processo longo e frutífero que faz o casal descobrir que a graça o sustenta dia após dia. A graça os faz entender que a história de Deus com o filho deles não terminou, eles apenas precisam pedir a cada dia pelo pão diário, confiando que Deus suprirá. Assim, a trilha da entrega constante da vida pessoal e da vida do filho é a que os pais precisam seguir para sair do caminho desértico que atravessarão por causa da homoafetividade do filho.

Ao se despedir do pastor, Cláudio perguntou:

— Será que tenho de falar com o pastor da minha igreja sobre o que temos conversado? Algumas vezes me sinto desconfortável com o que ouvi dele sobre quando abri meu coração a respeito de meus conflitos. Ao mesmo tempo, gostaria que ele ouvisse o que tenho ouvido.

O pastor respondeu:

— Quero ouvir sobre isso em nosso próximo encontro. Até lá gostaria que você perguntasse a si mesmo o que fará com tudo o que temos conversado. Será que há alguma decisão que você precise tomar?

Cláudio respondeu, em tom de brincadeira:

— Devagar com o andor, pastor, pois o santo é de barro.

6 | QUANDO A IGREJA ENCONTRA O HOMOAFETIVO

Como a igreja pode refletir Jesus para quem luta contra a cultura e a prática homossexual?

Será que há lugar para o homoafetivo na igreja? O pastor que estava atendendo Cláudio sabia que essa seria uma das perguntas seguintes. Afinal, esse não é um questionamento individual, mas de muitos que enfrentam o mesmo conflito de Cláudio, isto é, que têm inclinações homoafetivas, mas estão na igreja e se dizem sérios com Deus. O interessante é que essa não é uma pergunta que deve ser feita exclusivamente por pessoas com esse perfil, mas também por membros de igrejas que deparam com a chegada de *gays* em seus cultos ou que têm na família um homoafetivo.

Junto a essa pergunta surgem outras, muitas vezes doloridas e confusas. Há quem pergunte: "O *gay* vai para o inferno?", "Será que ser *gay* não é o pecado que configura blasfêmia contra o Espírito Santo?", "Se a pessoa nasce *gay*, Deus não pode condená-la, não é?" e questionamentos similares. Nenhuma dessas perguntas tem resposta fácil, assim como nenhuma delas traz implicações simples. Quando enxergamos pelos olhos de alguém que se rotula homoafetivo e não entendeu a identidade que tem em Jesus, encontramos alguém que deseja pertencer. Se ele é sério em sua proposta de seguir Cristo, pertencer a uma igreja é algo que ele almeja e de que sente falta. Mas, nesse contexto, se pergunta:

para onde vou? Com quem conversarei? A quem pedirei amparo? A igreja é um porto seguro?

Qualquer pessoa que luta com sentimentos homoafetivos é assaltada frequentemente pela sensação de vergonha. Parece que dentro dela há uma voz, que diz: "Você não pode sentir isso". A vergonha do que sente e, muitas vezes, o medo de ser descoberta e, então, rejeitada criam um fantasma. Em parte, é isso que a afasta da igreja e a leva a procurar comunidades nas quais possa até se abrir e experimentar acolhimento. Por certo tempo, luta contra a homoafetividade de forma silenciosa e escondida. Não sai da igreja, pois espera que um dia possa ser aceita, anseia sentir-se parte de uma comunidade que a acolha sem condenar.

Pessoas como essa ficam na igreja não de uma forma resignada, mas como fruto do compromisso de seguir Jesus. Por isso, se abstêm de uma vida sexual que desonre ao Senhor. Ao comentar a necessidade de a igreja entender o homoafetivo, Preston Sprinkle e Wesley Hill afirmam: "É decepcionante perceber que, mesmo não intencionalmente, a igreja muitas vezes tem empurrado os homoafetivos para longe dela e para longe de Jesus. Muitas vezes, os empurram para longe da igreja e em direção ao suicídio".[1]

Encontramos nas igrejas também aqueles que lutam contra os sentimentos afetivos, na expectativa de que a congregação não só os aceite, mas também, quem sabe um dia, mude a maneira de interpretar os textos que falam sobre homoafetividade. Esperam que a igreja olhe para eles de forma acolhedora. Não um acolhimento voltado a lhes conceder ajuda, mas que signifique aceitar não apenas seus sentimentos, como também suas práticas. E que essas práticas passem a ser vistas como uma expressão de afetividade aprovada por Deus.

Ao olhar para esses dois grupos, o que encontramos? Ambos anseiam por aceitação e por se sentir parte da comunidade. Ambos sofrem com seus sentimentos e desejos se querem seguir Jesus. Muitos se sentem envergonhados pelo que sentem. Muitos olham para si mesmos como se a igreja não os visse. Daí vem a decepção e a vontade de afastar-se dela. Eles sabem que serão bem aceitos pelo mundo e, ao ser aceitos pela comunidade não cristã, o desejo de pertencer a uma comunidade é parcialmente satisfeito. Mas para que sejam aceitos lá fora, eles terão de mudar suas convicções bíblicas e aceitar o que a cultura sexual lhes imporá.

Quando conseguem ficar na igreja, em geral ouvem que a homoafetividade é o mais horrendo dos pecados e o estilo de vida que mais desagrada a Deus. Além disso, muitas vezes a posição da igreja é que a homoafetividade é um estilo de vida escolhido e cada um precisa arrepender-se desse comportamento, voltar para Deus e abraçar a heterossexualidade, como se essa fosse meramente uma questão de escolha. No topo disso, ainda é possível que ouçam que Deus vai castigá-los, como fez com os habitantes de Sodoma e Gomorra. Em casos ainda piores, ouvem que o homoafetivo é possuído por demônios e que uma sessão de descarrego os levará "de volta à heterossexualidade".

Muitas vezes essas atitudes da igreja local não são tanto uma questão de rejeição do homoafetivo, mas fruto de boas intenções que visam a manter "a pureza da igreja local". Porém, ao agir dessa forma, a igreja expressa ignorância acerca do que a ciência diz sobre a homoafetividade e do que a Bíblia ensina sobre como tratar o diferente ou aquele que tem conflitos homoafetivos.

Neste ponto, precisamos refletir sobre como a igreja local realmente enxerga o homoafetivo. Há cerca de quarenta anos, a Igreja brasileira começou a enfrentar a realidade do divórcio. Antes de a lei do divórcio ser aprovada, em 1975, as pessoas se desquitavam. Divórcio era uma questão sobre a qual se sussurrava, por ser considerado algo vergonhoso. Muitos viviam debaixo do mesmo teto, mas, na realidade, apenas mantinham as aparências. Quando o divórcio foi permitido por lei, também invadiu a igreja, que passou a conviver com pessoas divorciadas. Na realidade, o divórcio tornou-se até mesmo comum na igreja. Por mais que as pessoas saibam que Deus odeia o divórcio, lidar com ele hoje é parte da experiência da igreja.

Da mesma forma, lidar com a homoafetividade dentro da igreja ainda é desconfortável para muitos, algo que tem a ver com preconceito, rejeição, inaptidão para novas situações, ira e outras questões. Assim, poucas décadas atrás, conviver com o divorciado dentro da igreja era algo muito estranho, mas o ambiente eclesiástico adaptou-se e, hoje, o divorciado já não carrega mais certos estigmas. Não que a igreja deva aprovar o divórcio fora de textos tais como Mateus 19.1-12 e Romanos 7. Mas, hoje, a igreja se vê obrigada a lidar com o problema, que ocorre com muita frequência na igreja local.

Assim é com a homoafetividade. Muitos lutam na igreja com ela, alguns anonimamente, outros publicamente. Por isso, a igreja não pode deixar de reconhecer que dentro dela há homossexuais — de ambos os sexos. Essas pessoas também carregam a imagem de Deus, e Jesus morreu por elas. Se a igreja não enfrenta essa realidade, perde uma grande oportunidade de vivenciar e oferecer a graça na prática. Se a igreja não acolhe o diferente, especialmente o homoafetivo, a comunidade *gay* o acolherá. Quando isso ocorre, aquele que deseja seguir Jesus volta a lutar com a questão de sua identidade, pois a comunidade *gay* o afirmará como *gay* e, ao assumir essa identidade, ele proclamará sua libertação dos padrões morais aos quais estava preso. Ao afirmar-se *gay*, ele passará a vivenciar sua homoafetividade como algo normal, até mesmo "dado por Deus", um engano que se cristalizará em sua mente como uma fortaleza sustentada pelo inimigo.

Naturalmente, a igreja não pode ser responsabilizada pela escolha de quem a abandona para se juntar a uma comunidade *gay*, mas poderia ajudar profundamente os que lidam com sentimentos homoafetivos, tornando-se um lugar seguro de acolhimento. Não estamos dizendo com isso que a igreja deve acolher o homoafetivo praticante sem posicionar-se sobre o que a Bíblia diz a respeito da homoafetividade. O que estamos afirmando é que a igreja deve acolher livre de preconceitos e ajudar essa pessoa a lidar com seus conflitos, especialmente aqueles que honestamente pedem ajuda para lidar com suas tendências e reconhecem que o relacionamento homoafetivo não faz parte dos planos de Deus para eles.

Se uma igreja anseia refletir Jesus inclusive para aqueles que lutam com a atração por pessoas do mesmo sexo, ela precisa aprender a lidar com eles, tendo Jesus como modelo. Assim como na igreja há pessoas que adulteram e muitos nem sabem, nela também há quem lute com a homoafetividade. Por essa razão, quando o pastor da igreja recebe alguém em seu gabinete e a pessoa confessa ser homoafetiva, o pastor precisa perguntar o que ela quer dizer com essa afirmação. Será que ela está dizendo que tem sentimentos homoafetivos? Ou luta com desejos e fantasias homossexuais? Ou será que já está praticando atos homossexuais?

Seja qual for a resposta, a atitude de acolhimento poderá ser o ponto inicial de uma grande descoberta na vida dessa pessoa. Ela pode começar a trilhar o caminho da esperança de que, em Jesus, pode ter sua vida transformada. Isso não necessariamente significa que se tornará heterossexual, embora tal coisa possa acontecer, mas que receberá a vida abundante prometida por Jesus, apesar das lutas que enfrenta.

Alguns membros de igrejas lutam com pornografia e outros, com alcoolismo. Há ainda os que enfrentam conflitos pelo vício em jogos de azar e os que batalham diariamente contra a hipocrisia. Vemos nas congregações cristãs os que não conseguem honrar pai e mãe e os que lutam contra a inveja ou o ciúme. E há os que lutam com a homoafetividade — apenas um dos muitos problemas que esmagam cristãos. Para todos esses, a igreja precisa ser o lugar onde podem encontrar alívio e esperança de vencer suas batalhas.

Conheço uma igreja cujo *slogan* reflete a graça de Deus de forma singular: *Proibido para perfeitos.*[2] Esse é um mote fenomenal,

156   Cristão homoafetivo?

pois mostra a igreja como lugar seguro para cada tipo de conflito, seja na área da sexualidade, seja na relacional, seja na financeira, seja o que for. Cada igreja precisa ser um lugar proibido para perfeitos, mas aberto para quem deseja descobrir uma vida com significado por causa de Jesus.

Mas, para que a igreja se torne esse lugar, algumas atitudes precisam ser tomadas pelos cristãos.

O evangelho é para todo tipo de gente

Jesus foi criticado porque andava com todo tipo de gente. Sem estar preocupado com que os outros diriam a respeito dele, Jesus comeu com prostitutas, cobradores de impostos que tinham fama de corruptos, com beberrões e toda espécie de gente. Ele agia assim porque não veio para os sãos, mas para os doentes. Certa vez, ao ser confrontado pelos fariseus, disse-lhes que os cobradores de impostos e as prostitutas os precederiam no reino de Deus (Mt 9.12; 21.31).

Os adúlteros, os homossexuais e os corruptos vão à igreja precisando pertencer a alguém ou a uma causa. As boas-novas de Cristo são também para essas pessoas. Jesus não disse para qualquer pessoa: "Mude de vida e depois me siga". Não, ele primeiro acolheu e, só depois, as pessoas foram transformadas. Assim, aqueles que já estão na igreja podem até se sentir incomodados com a presença de indivíduos "moralmente desqualificados". Mas, se a igreja quer refletir Jesus para o mundo, ela precisa reconhecer que as pessoas que chegam a ela anseiam por ser tratadas como Jesus as trataria, mesmo sem que essa seja ainda a linguagem delas.

Quando a igreja tem uma atitude discriminatória, seja com quem for, ela comunica que ali é um lugar apenas para perfeitos. E, se é assim, infelizmente a mensagem que transmite é que Jesus não é necessário ali, uma vez que todos já atingiram a perfeição. Como resultado, a igreja passa a se parecer pouco com Jesus e muito mais com os fariseus. Talvez não haja lugar para homoafetivos ou adúlteros, mas ali estão invejosos, orgulhosos, fofoqueiros, mentirosos, gente que desonra os pais, indivíduos que cobiçam o que é do próximo, iracundos, briguentos e muitos outros tipos de pessoas. O evangelho de Jesus é para transformar todos. Todos. Assim, todos precisam da graça e do poder transformador do evangelho. Uma igreja acolhedora não faz distinção de para quem ela prega. Ela proclama o mesmo evangelho para todos, como Jesus fez. O Senhor acolheu intelectuais, como Nicodemos, e cobradores de impostos, como Mateus. E eles tiveram sua vida transformada pelo evangelho de Jesus Cristo.

O alvo é ser como Cristo

A missão principal da Igreja é levar as pessoas a serem fiéis seguidoras de Jesus Cristo, e não transformar homossexuais em heterossexuais. Claro que existe uma incoerência quando uma pessoa se diz seguidora de Jesus e vive na prática da homoafetividade. Mas o mesmo é verdade para um heterossexual corrupto e mentiroso. O problema maior não está na sexualidade, mas no coração.

Relembrando o conceito apresentado por Paulo em Romanos, sobre idolatria como parte da homoafetividade, talvez o heterossexual não seja um adorador de si mesmo como o homoafetivo no que se refere à sexualidade, mas pode adorar riquezas, fama e poder. Quando a igreja se preocupa em levar o ladrão a abandonar o roubo, ela apenas foca em parte do problema. Mas, quando a igreja acolhe o ladrão e o desafia a viver com Cristo, ele pode ter sua vida transformada. Isso não quer dizer que essa pessoa nunca mais será tentada a roubar, mas seu alvo de vida será honrar Jesus em todos os aspectos de sua vida. Portanto, o impulso de roubar pode ser vencido no poder do Espírito Santo. Da mesma forma, o desafio a ser apresentado ao homoafetivo é viver uma vida que honre a Jesus, o que implica saber lidar com a homoafetividade à luz do amor de Deus por ele.

158 Cristão homoafetivo?

Essa deve ser a atitude da igreja para com aqueles que lutam com sentimentos homoafetivos. Em nenhum momento, os cristãos são chamados a ser coniventes com as práticas homossexuais, mas, quando a linguagem das pessoas da igreja — ou mesmo do púlpito — é apenas de condenação, aqueles que lutam com sentimentos homoafetivos tendem a se encolher, se esconder e procurar um lugar onde não serão rejeitados. Se o chamado ao homoafetivo é apenas para que mude seu caminho em direção à heterossexualidade, a igreja está dizendo: "Você não é aceito aqui".

Entretanto, quando a igreja tem Jesus como foco, o homoafetivo ganha esperança para seguir o Senhor e viver sem envergonhar-se do que sente. Yarhouse escreveu: "Esse tipo de igreja acolhe os de espírito abatido e confia no trabalho do Espírito Santo, por meio da exposição da Palavra de Deus, para a vida daqueles que ali congregam".[3]

Quando sentou-se com a mulher samaritana, o convite primário de Jesus não foi para abandonar o marido que não era dela, mas para adorar o verdadeiro Deus. Ao entender a quem ela devia adorar, a vida dela foi transformada. Por isso, a causa da igreja ao tentar acolher o homoafetivo não é primariamente levá-lo da homoafetividade à heterossexualidade, pois ela não tem esse poder. O desafio das igrejas para cada pessoa a quem acolhe é desafiá-la a viver de forma cristocêntrica. Quando ela descobre esse estilo de vida e o vive, os frutos aparecerão.

Levando as pessoas, inclusive os homossexuais, a entender que em Cristo têm sua verdadeira identidade, as lutas podem ser vencidas, porque a vitória começa em crer no que elas são em Cristo: se estão em Cristo, foram adotadas por Deus. Se foram adotadas por Deus, têm os recursos divinos para lidar com seus conflitos e, inclusive, clamar "*Aba*, Pai" (Mc 14.36; Rm 8.15; Gl 4.6). Se foram adotadas por Deus, o Espírito Santo habita nelas. E, se o Espírito Santo habita nelas, recebem poder para lidar com suas lutas e, caso sofram derrotas, se reerguer. Pois é isso que Deus faz com todos os filhos que o buscam.

É papel da igreja ensinar que desvios de comportamento não refletem o caráter de Jesus. É papel da igreja ensinar não somente o que a Bíblia diz sobre roubo, preguiça, desonra aos pais, arrogância e outros pecados, mas também o que ela diz sobre o que é sexualidade sadia. Esse ensino sempre precisa ser permeado por firmeza e graça, de modo que os que forem confrontados com a verdade tenham a segurança de que serão ouvidos e auxiliados pela igreja nas áreas de conflito.

O ensino confrontador precisa estar aliado ao ensino da graça restauradora e da esperança e transformação. Dessa forma, a causa da igreja não pode ser a de transformar homossexuais em heterossexuais, mas a de levar quem luta com sentimentos homoafetivos a descobrir que em Jesus podem ter uma vida saudável, apesar dos conflitos internos. O alvo da igreja é transformar, no poder do Espírito Santo, gente como o adúltero, o ladrão, o invejoso, o cobiçoso, o idólatra e o homoafetivo em pessoas que têm o caráter de Jesus.

Ao desafiar o homoafetivo a viver como verdadeiro discípulo de Jesus, isso não significa que ele deixará de ter sentimentos ou desejos homossexuais. Ele até pode ser livre disso, mas o foco maior é que, ao viver na dependência de Jesus, seus desejos ou sentimentos homoafetivos serão controlados pelo Espírito Santo. E, se cair na prática homoafetiva, quando houver arrependimento, o sangue de Jesus continuará a purificá-lo.

A igreja e sua liderança precisam entender que é possível para pessoas que têm sentimentos homoafetivos viver uma vida cristã sadia, apesar desses conflitos. O pecado está nas fantasias e nas práticas homossexuais. Da mesma forma que um heterossexual pode ser assaltado por fantasias sexuais com o sexo oposto, também o que tem sentimentos homoafetivos pode ser assaltado por fantasias homossexuais. O caminho do sucesso é o mesmo para os dois.

Levar o indivíduo a uma vida cristocêntrica não isenta a igreja de confrontar uma pessoa que tem sentimentos ou desejos homoafetivos quando ela incorrer em práticas homossexuais. O cuidado que a igreja precisa ter é no sentido de que seu foco não se restrinja apenas aos pecados de sexualidade contrários às Escrituras. Se a pessoa se diz seguidora de Jesus e vive fazendo negócios escusos ou sonegando impostos, ela precisa ser confrontada em amor visando à sua restauração, da mesma maneira que aquele que se diz seguidor de Jesus e vive na prática da homoafetividade. Lembre-se sempre: acolher não significa ser conivente, mas, em contrapartida, para não ser conivente não é necessário iniciar uma cruzada contra os pecados morais.

A igreja precisa entender que não só os que têm problemas com álcool e drogas, mas também aqueles com conflitos homoafetivos podem cair novamente. E o tratamento devido precisa ser oferecido. Se alguém cai e continua caindo, deve ser tratado com a graça e a firmeza de Jesus, visando à restauração e ao reinício da caminhada com Cristo.

Esse processo, especialmente no que se refere ao homoafetivo, carece de certo acompanhamento, que pode ser na forma de um grupo de apoio na própria igreja ou de sessões de aconselhamento com um pastor ou um terapeuta. Do ponto de vista espiritual, a identidade em Cristo pode ter ficado confusa por causa da recaída. Assim, torna-se necessário o encorajamento espiritual, por meio da confrontação direta, firme, mas cheia de amor, para que a pessoa se enxergue pelos olhos da graça e continue buscando em Cristo o sucesso em meio a seus conflitos.

A recaída pode ocorrer por práticas ou relações sexuais ou mesmo por desejos homossexuais. Se for um comportamento que revele descompromisso com Jesus e desconforto ou rebeldia com os princípios ensinados pela igreja, será necessário aplicar a disciplina mencionada por Jesus em Mateus 18. É importante que cada igreja tenha em mente que, ao manter uma atitude acolhedora com homoafetivos, ela não tem de abrir mão do que a Bíblia ensina sobre a homoafetividade. Ao comer com os pecadores e beberrões, Jesus não passou a viver ou a comportar-se como eles, pois acolher não significa aprovar. A pureza doutrinária da igreja precisa ser mantida — porém, com o toque acolhedor de Jesus, que não espera que aquele que não o conhece viva da forma como ele ensinou.

Em última análise, o foco da igreja deve ser levar cada um à semelhança com Cristo (cf. Rm 8.28-29). Engajar cada um nesse processo traz liberdade e esperança, especialmente para o homoafetivo, que deixa de focar em seus conflitos para desejar crescer no relacionamento com Jesus, que o fortalecerá em sua caminhada de santificação.

Há rapazes e moças que, a despeito do que sentem por pessoas do mesmo sexo, resolveram ter uma vida que honre a Deus, evitando desejos e abstendo-se de práticas homoafetivas, não necessariamente porque deixaram de ter inclinações homoafetivas, mas porque resolveram honrar a Deus com tudo o que têm, inclusive com o corpo. Esses cristãos verdadeiros entenderam que a relação afetiva com pessoas do mesmo sexo não pode incluir casamento, relações sexuais ou fantasias. Tudo isso está dentro do processo de santificação. Talvez para os heterossexuais no contexto da sexualidade pode parecer mais fácil. Mas é sempre mais difícil para quem tem inclinações homoafetivas.

Quando a igreja é capaz de entender e acolher aqueles que desejam participar desse processo de santificação, mas têm sentimentos homoafetivos, ela se torna um porto seguro para essas pessoas, que não precisam buscar abrigo no mundo. Essas pessoas estão à procura não de uma comunidade conivente com seus erros, mas de um lugar a que pertencer e onde serão aceitas, a despeito de seus conflitos, onde além de ser aceitas serão encorajadas e guiadas no processo de santificação e mudança de comportamento.

Ao agir dessa forma acolhedora, a igreja local se torna agente a serviço do Espírito Santo no processo de levar seus frequentadores a refletir e experimentar a graça de Deus. A igreja reflete

162 Cristão homoafetivo?

essa graça quando abre as portas do edifício e do coração para pessoas a fim de acolher e abençoar os diferentes dela. Só um lugar como esse reflete Jesus.

Servir sem ser discriminado

A igreja que acolhe e procura levar aquele que luta com a homoafetividade a viver em Cristo não pode discriminar as oportunidades de serviço. Homoafetivos também têm dons espirituais que precisam ser usados para a edificação do Corpo de Cristo, se querem refleti-lo em sua vida de acordo com as Escrituras. Muitas vezes surgem perguntas como: "O homoafetivo pode cantar no coro?" ou "O homoafetivo pode ensinar na escola dominical?".

Questionamentos como esses também poderiam ser dirigidos a outros grupos de pessoas. Por exemplo, seria possível perguntar também: "Quem é arrogante pode dirigir uma célula familiar?" ou "Quem desonra pai e mãe pode fazer solos nos cultos dominicais?". Pelo que já anteriormente escrevemos, perguntas como essas de cara rotulam quem tem sentimentos homoafetivos. Se perguntarmos: "O homoafetivo pode cantar no coro?", estamos assumindo *a priori* que tal pessoa resolveu viver a identidade da homoafetividade. Se for assim, é difícil que ela tenha a oportunidade de servir, visto que assumiu um estilo de vida contrário à natureza e aos princípios bíblicos. Naturalmente, as perguntas ilustrativas servem como exemplo. A igreja acolhedora tratará cada caso de forma diferente. Isso é mais trabalhoso, mas é parte do nosso chamado para refletir o amor do Cristo, zeloso e acolhedor.

O zelo da igreja local para apontar seus líderes e liderados não deveria ser com base em rótulos. Se uma pessoa que tem sentimentos ou desejos homoafetivos está vivendo sob o controle do Espírito Santo, ela pode servir na igreja. Da mesma forma que o que tinha a língua solta, arrependeu-se, reparou os seus erros e foi restaurado também pode servir na igreja. Assim, o critério para que alguém sirva na igreja local com seus dons não é o dom em si, sua posição social ou sua sexualidade, mas sua vida com Deus.

Todos estão em processo de santificação e crescimento. Parte desse processo de crescimento é o envolvimento no serviço. Assim, esse envolvimento não deveria ser proibido para aqueles que lutam com a homoafetividade. Se a vida dessa pessoa reflete Jesus, nada a impede de servir, de acordo com os critérios adotados pela igreja local. Como temos mencionado repetidamente, não é por ter sentimentos ou desejos homoafetivos que pessoas deveriam ser rotuladas como tais. Se a pessoa conhece Jesus e está vivendo segundo os padrões que ele ensinou, inclusive na área da sexualidade, sua identidade é de alguém em Cristo. Se, mesmo tendo sentimentos e desejos homoafetivos, a pessoa os mantém cativos a Cristo, ela deve ter a oportunidade de servir na igreja. É urgente que as igrejas locais e sua liderança assumam essa perspectiva com membros sujeitos a quaisquer tipos de inclinações e tentações, mas que se mantêm aos pés de Jesus.

Em contrapartida, o trabalho de alocação de determinadas pessoas no serviço precisa ser cuidadoso e meticuloso com todos. Os líderes precisam levar em conta maturidade, experiência e contexto, para que as pessoas certas sirvam no lugar certo. O que não pode acontecer é alguém que deseja servir ao Senhor e viva dentro dos ditames bíblicos ser impedido de usar seus dons na igreja local, visando a edificar o Corpo de Cristo.

Ao ouvir essas explicações, Cláudio perguntou:

— Mas onde está essa igreja? A minha igreja não me tratou assim, nem a dois dos meus amigos que têm as mesmas lutas que eu. Na minha saída da igreja, senti que, para a liderança, era mais importante "manter a pureza" da congregação do que perguntar se nós precisávamos de ajuda.

A pergunta de Cláudio se repete em muitos lugares e em muitas igrejas. Mas nós podemos contribuir para que isso mude. Há numerosas congregações cristãs nas quais o conceito *Proibido para perfeitos* existe. Mas o processo de aprendizado é longo. E esse aprendizado acontece sempre entre acertos e erros.

— Precisamos continuar — disse o pastor. — Que tal pensarmos em uma igreja de samaritanos?

A igreja de samaritanos, a começar pelo pastor

Quando a igreja procurar encarnar a graça como seu estilo de vida, mais pessoas serão alcançadas e acolhidas. O samaritano da parábola contada por Jesus passou por cima de preconceitos e limites de gastos. Na história registrada em Lucas 10.29-37, o samaritano poderia ter escolhido ignorar o próximo que estava ferido, mas parou, tocou nele e ainda gastou do seu próprio bolso para servir àquele que não era bem aceito por sua comunidade ou, quem sabe, até por ele mesmo. Mas, ao ver a necessidade do outro, ele deixou de lado todo o preconceito do seu povo e os preconceitos pessoais, se os tinha, e socorreu quem precisava.

Assim deveria ser a igreja. A ela virão pessoas estranhas e diferentes, indivíduos que talvez incomodem. Mas, se queremos tomar como realidade de vida o mandamento de Cristo "Ame o seu próximo como a si mesmo" (Lc 10.27), aquele homoafetivo que está frequentando sua igreja precisa ser bem acolhido. Surge a pergunta: como uma igreja pode crescer em atitude de amor, como a do samaritano? Tudo começa com o pastor e os demais líderes. É esse grupo que dá o tom para que igreja cresça em direção ao amor, especialmente quando o próximo tem lutas no campo da sexualidade.

O púlpito da igreja precisa pregar o evangelho inteiro para todos, sem fazer acepção de pessoas ou de assuntos, e sem fazer uma cruzada contra os homossexuais. O modo como o pastor e os líderes da igreja se referirem não somente aos homossexuais, mas a qualquer tipo de pessoa estabelecerá o tom e a forma como a igreja olhará para o diferente. A igreja segue o pastor. Se ele é acolhedor em palavras e atos, a igreja observará e adotará esse exemplo.

Os homoafetivos também estão na igreja. De vez em quando, os membros da igreja verão dois rapazes ou duas moças de mãos dadas e sentando juntos durante o culto. Qual será a reação? Se o comportamento dos dois for impróprio, a igreja deve tratar da mesma forma que trataria um casal de heterossexuais caso tivesse um comportamento incompatível com os valores ensinados pela igreja. Mas, se o pastor começar a dar indiretas do púlpito ou a contar histórias que condenam os homoafetivos, os membros da igreja passarão a dar indiretas ou a fazer comentários impróprios, e isso chegará aos ouvidos de todos. O resultado será um clima de rejeição ou mesmo a adoção de atitudes homofóbicas.

Se cada membro da igreja olhar para os que chegam e acolhê-los em amor, o rejeitado verá Jesus nessa congregação, o ferido encontrará alento nessa comunidade, o quebrado emocionalmente encontrará esperança. Foi esse o impacto daquele samaritano em seu próximo ferido. E em nenhum momento esse acolhimento significará aprovação de qualquer comportamento antibíblico de uma dessas pessoas.

Primeiro a igreja deve acolher, a fim de curar, deixando que o Espírito Santo gere salvação, perdão, reconciliação e transformação de vida.

Acolher sem transformar é apenas promover bem-estar. É importante a igreja criar processos de crescimento espiritual. Muitas têm as escolas bíblicas dominicais. Professores podem se tornar grandes mentores se olharem para seu papel além da cátedra. Quando cada professor da EBD olha para cada aluno como uma pessoa singular e criada à imagem de Deus, também perceberá suas necessidades. Mas esses professores imprimem marcas na vida de seus alunos quando demonstram a própria vulnerabilidade e buscam em Deus recursos para lidar com suas fraquezas. Pessoas que sofrem com sentimentos homoafetivos precisam encontrar na igreja mentores espirituais que não se chocariam ao ouvir que seus mentoreados têm inclinações homoafetivas.

Esses processos de crescimento espiritual — seja em uma classe de EBD, seja em um grupo específico de acolhimento — precisam comunicar abertura para lidar com fracassos e sucessos na vida cristã, sem rotular quem quer que seja. E quando nesses grupos alguém expressa lutas na sexualidade, o líder precisa ouvir, com graça. Ao receber a informação de que alguém luta com a sexualidade, o líder do grupo precisa estender o braço para alcançá-lo em vez de afastar-se dele. Foi o que fez o samaritano; é o que Jesus faz.

Uma igreja samaritana promove apoio e treinamento para pais na área da sexualidade. Não uma classe sobre como prevenir a homoafetividade na família ou como lidar com a homoafetividade própria ou de terceiros. A uma classe como essa viriam apenas curiosos, possivelmente. Claro que, em classes como essa, a posição bíblica da igreja precisa ser apresentada, enfatizando não a homoafetividade, mas a sexualidade sadia que Deus criou.

A igreja que pastoreio produziu um texto posicional que lida de forma natural, clara e direta com a sexualidade, sem criar polêmicas com a homoafetividade. Ao comentar o papel da igreja no trato com a homoafetividade, Luiz Sayão e Carlos Osvaldo Pinto apontam a necessidade de a igreja criar um ministério voltado para famílias e dizem: "A ênfase demasiada de um evangelho que enfatiza a relação isolada do indivíduo com Deus pode deixar de lado o relacionamento com o próximo e com familiares".[4]

A igreja samaritana, aquela que promove ajuda para os de dentro e os de fora, haverá de prover ensino bíblico para as famílias crescerem em seus relacionamentos e para criarem um ambiente em que cada membro pode abrir-se sobre seus conflitos, em um ambiente seguro. Isso é construído ao longo do tempo, com ensino bíblico prático, líderes amorosos e sensíveis às necessidades de seus liderados. Essa ajuda pode ser oferecida não só por meio de grupos de apoio, mas de terapeutas. As Escrituras são suficientes para dar a direção sobre como tratar sentimentos homoafetivos e outros tipos de conflitos, mas Deus também usa a ciência, a psicologia, a teologia e o acolhimento da igreja para levantar, encorajar e curar seus filhos. Por isso, muitas vezes um time formado por um pastor, um psiquiatra, um grupo de discipulado e um psicólogo se torna decisivo para apoiar aqueles que lutam com questões homoafetivas.

Quando a igreja trata da sexualidade humana com base nas Escrituras, e não a partir da cultura, começa a surgir liberdade. Ao ensinar sobre sexualidade, com base na criação do homem e da mulher, e sobre casamento, como a união entre macho e fêmea, a igreja se posiciona sobre o assunto e encoraja pessoas a lidarem não apenas com questões sexuais, mas com questões relativas à atração entre indivíduos do mesmo sexo. Ao ensinar sobre casamento como um bem precioso, pessoas podem se encantar com a procura por um matrimônio significativo. Pais precisam de apoio, da mesma forma que os filhos. Portanto, uma igreja samaritana também pensa em como servir aos pais de homoafetivos.

Paralelamente, a igreja precisa pensar nos solteiros. E, ao fazê-lo, pode ser que entre os solteiros da igreja haja alguns que resolveram nunca se casar. Talvez, parte deles seja de pessoas que têm atração por gente do mesmo sexo. E, nesse caso, a igreja samaritana deve servir a esse grupo apontando que ser solteiro por causa de Jesus é nobre. Talvez o processo de santificação nesse grupo demande muito mais atenção e ensino, pois é possível que entre alguns deles existam os que resolveram ser celibatários em razão de sentimentos homoafetivos conflitantes com seu desejo real e sincero de adotar sua identidade em Cristo.

A igreja samaritana vai ao encontro desse grupo para encorajar seus integrantes, acolhê-los e desafiá-los a enxergar sua vida como algo que Deus está construindo a fim de impactar outros que passam pelo mesmo problema. Essas pessoas não precisam ouvir que a solução de seus conflitos é escolher a heterossexualidade, porque homoafetividade não é escolha. Elas não precisam ouvir que precisam se casar, pois, para elas, casar tem a ver com atração, e elas só sentem atração por pessoas do mesmo sexo. O que elas precisam ouvir é que são aceitas e terão todo o apoio para viver uma vida centrada no evangelho e na dependência de Deus. Elas podem até vir a casar, mas nunca devem fazê-lo como um meio de "combater" a homoafetividade, pois casamento não é remédio.

Nesse processo, a igreja samaritana cria para todos os solteiros que lutam com sentimentos e desejos homoafetivos uma experiência especial de pertencimento. Ao incluí-las em um processo de incentivo à santificação e de cuidado com sua vida, resultados positivos virão. Um deles é uma tomada de posição por Jesus. Alguns rejeitarão o estigma da homoafetividade e adotarão o mote *Sou um cristão em crescimento*. É gente que reconhece que sua identidade está em Cristo, e não em sua luta homoafetiva nem em seu estado civil. Essa atitude resulta de um processo sólido de santificação que a igreja provê, seja por meio de um grupo de apoio, seja por meio de cuidado pastoral ou mesmo de terapia em conjunto com apoio pastoral.

A igreja samaritana não é conivente com o pecado, mas procura acolher o pecador, sem julgamento. Confronta o erro, mas cria um ambiente em que a graça permeia o confronto. Nesse ambiente encorajador, todos podem experimentar o poder de Deus em sua vida. Em nenhum momento, uma igreja que acolhe o homoafetivo ou qualquer pessoa com problemas de comportamento à luz das Escrituras abre mão do ensino a respeito de santidade. Esse ensino, porém, além de confrontar o erro é carregado de esperança. E Jesus é o foco dessa esperança.

Sendo Jesus o foco, a igreja comunica a graça restauradora do Senhor. Vemos isso fortemente em Jeremias. Por anos e anos Deus confrontou o erro, a idolatria e a vida imoral da nação de Israel. Por meio do profeta Jeremias, Deus anunciou o castigo da nação. Mas, sempre que anunciava disciplina, Deus expunha sua graça redentora, expressa na restauração da nação.

Pessoas gostam de circular por onde se sentem amadas e bem-vindas. Com certeza, quando uma pessoa com sentimentos ou mesmo práticas homoafetivas se sente discriminada, a tendência é afastar-se do local da discriminação. Muitas se afastam da igreja não porque detestam ouvir que a prática da homoafetividade é pecado, mas por medo de serem ridicularizadas ou rejeitadas.

Porém, a igreja se reveste da atitude de Jesus quando acolhe o diferente, seja ele ou ela homoafetivo, adúltero, financeiramente corrupto, divorciado, agressivo, arrogante ou alguém que desonra pai e mãe. Jesus atraía essas pessoas e, nesse processo, muitas foram transformadas.

Assim deveria ser a igreja que almeja refletir Jesus e comunicar sua graça salvadora e restauradora. O perfeito amor afasta todo medo (1Jo 4.18). O amor pelo diferente fará a igreja ser o instrumento de Deus para tocar a alma de quem precisa de transformação de vida — incluindo quem tem sentimentos e desejos por pessoas do mesmo sexo ou quem vive na prática da homoafetividade, mas sente um vazio de vida que Jesus pode preencher.

Cláudio abriu os olhos quando o pastor explanou sobre esse tipo de igreja. Foi quando se lembrou de que o pastor lhe perguntara sobre o que ele faria com tudo o que estava ouvindo. Então disse:

— Pastor, creio que está chegando a hora da decisão que preciso tomar. Preciso ir em busca de santidade diante de Deus. Mas ainda estou inseguro sobre quanto posso suportar.

O pastor respondeu:

— Agora sou eu quem diz: vamos devagar com o andor, porque o santo é de barro. Em nosso próximo encontro, desejo abordar um assunto que talvez o encoraje a tomar sua decisão.

CONCLUSÃO

A ESPERANÇA QUE JESUS OFERECE

Mantendo a decisão da escolha pela identidade em Cristo

Quando Cláudio chegou para o encontro seguinte com o pastor, levou alguém com ele. Foi uma surpresa.

— Este é Roger, meu ex-namorado.

A surpresa foi ainda maior quando o pastor ouviu a expressão "meu ex-namorado". Cláudio explicou que, depois de tantos encontros, ele chegou à conclusão de que precisava tomar uma decisão a respeito do que vinham conversando por quase um ano. Relatou que ele e o Roger conversaram muitas vezes e na semana anterior finalmente resolveram terminar o relacionamento. E eles estavam ali para que Roger também ouvisse daquele pastor uma explicação sobre como Jesus pode transformar a vida de uma pessoa.

Nem sempre os aconselhamentos levam o aconselhado à direção em que Cláudio seguiu. Nem sempre a igreja ou os pais saberão lidar com a questão da homoafetividade entre as pessoas que mais amam. Porém, Jesus tem sempre a forma correta de lidar e trazer esperança quando pessoas com quaisquer conflitos — emocionais, morais, espirituais ou o que for — recorrem a ele. Por isso, convém considerar seriamente a pergunta: "Como podemos ser uma igreja acolhedora para qualquer tipo de pessoa?". Cláudio faz parte de um dos três grupos de pessoas com inclinações homoafetivas que, creio, encontramos nas igrejas.

O primeiro é formado por aqueles que descobrem a inclinação afetiva por pessoas do mesmo sexo. Eles são assaltados por pensamentos, às vezes por desejos, mas lidam com o assunto de forma silenciosa e nunca se abriram ou se abrirão com ninguém sobre suas lutas. Nem a igreja nem a família oferecem um ambiente seguro para que tragam à tona seus conflitos. Alguns desses até resolvem casar para manter a aparência; outros tomam a decisão de honrar Jesus dentro deles mesmos e com o comportamento que adotam. Podem até se rotular intimamente de homoafetivos, mas nunca "saem do armário".

O segundo grupo parece um pouco com o anterior, mas é formado por pessoas que não aguentaram a pressão e resolveram abrir o jogo. Procuraram um pastor ou um terapeuta em busca de ajuda, e a receberam. Uma ou duas pessoas na igreja sabiam ou sabem da luta delas e se portam como apoiadores, fazendo parte do cordão de três dobras que ajuda o mais fraco a não quebrar. Esses, como os do grupo anterior, entenderam que não são seus sentimentos homoafetivos ou seus desejos que os definem. Eles entenderam que a identidade deles está em Cristo. Por causa dessa compreensão, dividiram seus conflitos com alguém e estão recebendo apoio em oração, conversas, terapia e aconselhamento. Os que são parte desse grupo podem até ter caído algumas vezes nas práticas homossexuais, mas entenderam seu erro à luz das Escrituras e dedicam ou rededicam sua vida a Deus, sabendo que dele dependem para viver como desejam, a fim de agradar aquele que os criou e morreu por eles.

O terceiro grupo é formado por indivíduos que podem até estar na igreja, dizem que creem em Jesus como salvador pessoal e afirmam já ter se entregado ao Senhor. Porém, são influenciados pela cultura *gay* e, portanto, creem que Deus, sendo amor, espera que eles amem fielmente o parceiro, com o argumento de "a homoafetividade é uma das expressões amorosas que Deus permite e, se existe amor, isso é o que importa". Esse grupo perdeu de vista o que Deus ensina sobre a sexualidade criada por ele mesmo e que o plano divino de expressões afetuosas ou sexuais é exclusivamente entre um homem e uma mulher. Para os integrantes desse grupo, é difícil chamar pecado de pecado. Se permanecem na igreja com essas ideias, haverá conflitos. Por causa disso, sentem-se marginalizados e tendem a sair da igreja, a fim de encontrar nas comunidades *gays* espaço para suprir suas necessidades afetivas. Infelizmente, muitos desse grupo permanecem nesse estado por escolha pessoal e porque o pecado os domina. Não que escolheram ser homossexuais, mas aceitaram se rotular como tal e viver de acordo com o rótulo.

Mesmo que a cultura *gay* negue, os que vivem nesse grupo explicitamente sofrem de preconceito, rejeição e, em muitos casos, vivem em profunda angústia. Jesus está sempre pronto a recebê-los e a proporcionar-lhes o acolhimento e a transformação de vida de que necessitam, desde que exista arrependimento das práticas homossexuais e busca, em Cristo, do poder para lidar com as tentações homoafetivas.

A revista *Ultimato,* na edição 254 (setembro-outubro de 1998), no artigo "Ex-*gays*, há muitos!", menciona uma série de pessoas que deixaram as práticas homossexuais como fruto de uma entrega de vida a Cristo. Há pesquisas e experiências reais que apontam que mudanças existem. Porém, nem todas as pessoas que deixaram a prática homossexual ou mesmo que aprenderam a submeter seus desejos homoafetivos a Cristo deixaram de ter recaídas. Tampouco todas viram seus desejos homossexuais ser apagados para sempre. A mesma coisa acontece com outros problemas na área moral. Por exemplo, se uma pessoa vivia constantemente traindo o cônjuge e um dia resolve entregar sua vida a Cristo, ela passa por uma transformação de vida e de comportamento, mas isso não quer dizer que ela nunca mais será tentada a trair o cônjuge. Pode ser que nunca mais aconteça, mas o desejo pode voltar. O mesmo acontece com aqueles que

174 Cristão homoafetivo?

vivem debaixo da pressão ou dos conflitos por ter afeto ou mesmo paixão por pessoas do mesmo sexo: ao se verem como filhos de Deus e adotar essa identidade, haverão de viver com os recursos do Senhor para suas lutas diárias.

Perspectiva, presença e graça

A história de Cláudio não terminou no encontro em que ele apresentou seu ex-namorado ao pastor. Diante dos dois, ele fez uma oração em que abdicava de sua tendência de satisfazer suas carências com pessoas do mesmo sexo. Por sugestão do pastor, Cláudio procurou a ex-mulher e pediu-lhe perdão pela traição e pela dor que lhe causou. Ela o perdoou, mas ambos estão em um processo de restauração que será longo, pois existe muita dor envolvida. Ambos, porém, estão progredindo e, se voltarão a viver como marido e mulher, somente Deus sabe.

Cláudio também procurou o pastor de sua igreja. Humildemente, admitiu o pecado no qual estava vivendo, mesmo ao liderar o ministério de jovens casais. Sabiamente, o pastor o acolheu e o encorajou a procurar um dos líderes da igreja para que fosse acompanhado, o que ele tem feito regularmente. Esse líder tem sido como um irmão mais velho para Cláudio, ouvindo-o, encorajando-o e acompanhando-o no processo de encontros e conversas com sua ex-mulher.

Cláudio admite que a atração por pessoas do mesmo sexo às vezes o assalta de forma aviltante, mas a intensidade aos poucos tem diminuído. Cada vez que compartilha esse fato com seu mentor, não ouve "Ah, meu Deus, mas de novo?". O mentor, um homem experiente no andar com Deus, chama Cláudio ao centro de sua decisão básica de honrar Jesus e, depois de confrontá-lo, sempre o relembra dos recursos que existem em Jesus e na igreja.

Nesse momento, surge um questionamento: como Cláudio e qualquer um que se enquadra tanto no primeiro quanto no segundo grupo mencionados anteriormente podem viver a caminhada diária, apesar de seus conflitos íntimos? Creio que três palavras resumem a permanência nessa caminhada.

Primeiro, *perspectiva*. Sob qual perspectiva Cláudio ou as pessoas dos dois primeiros grupos se veem? É crucial que não se rotulem como homoafetivos. Se resolveram seguir Jesus e tomaram essa decisão com seriedade, então estão em Cristo, são cristãos e filhos de Deus. Se estão em Cristo e querem viver para ele, "aquele que começou a boa obra em vocês irá completá-la até o dia em que Cristo Jesus voltar" (Fp 1.6). Olhar de uma perspectiva divina para si mesmo implica reconhecer que a obra de Deus em sua vida ainda não acabou. A família que entregou o filho a Deus e a igreja que acolhe o homoafetivo que deseja ser sério com Jesus precisam ver dessa forma. Deus está trabalhando na vida dessas pessoas, bem como na dos pais e na da igreja.

Se Abraão houvesse visto a demora em ver a promessa de Deus cumprir-se em sua vida pela perspectiva daquele que fez a promessa, ele não teria engravidado Hagar. Ao ver as circunstâncias da vida da perspectiva divina, José conseguiu esperar anos entre ser vendido como escravo pelos irmãos e ver a promessa de Deus cumprida em sua vida, quando foi feito o segundo homem de maior autoridade no Egito (Gn 37—50). Ninguém que resolve acolher o diferente, como fez o bom samaritano, tem segurança do resultado do processo, mas abre mão do controle, serve e confia que Deus cumprirá as promessas no tempo certo.

Também aquele que luta com sentimentos e afeição por pessoas do mesmo sexo manterá sua luta, mas confiando que a obra de Deus em sua vida continua em andamento. Ver a vida da perspectiva de Deus implica viver crendo que o Senhor está agindo. E, por crer assim, essa pessoa vive na expectativa da intervenção de Deus a longo e curto prazos. Ao ver a vida da perspectiva do Senhor, o indivíduo não nega seus conflitos, mas os encara também como uma preparação para o futuro que Deus tem para ele.

Cláudio procurou seu pai, que, por sua vez, precisou enfrentar sua dor e mesmo seu sentimento de culpa falsa. Também ajudado pelo pastor de sua igreja, o pai de Cláudio tem recebido apoio de um grupo de homens para quem, pela primeira vez, ele conseguiu se abrir. Deus está ao longo do tempo trabalhando em toda a família e, aos poucos, um grupo de pessoas da igreja está crescendo no entendimento de como Deus age de forma sistêmica na família e na igreja. Aquele que começou a boa obra não desiste dela. A obra não terminou, portanto Deus não deixa de trabalhar. Ver pessoas e circunstâncias da perspectiva de Deus trará alegria e perseverança para o homoafetivo, para sua família e para a igreja.

A segunda palavra que serve de guia para aquelas pessoas dos dois primeiros grupos mencionados anteriormente é *presença*. Para os pais de Cláudio, ouvir a história do filho foi como andar pelo escuro vale da morte. Para a liderança da igreja de Cláudio, foi a primeira vez em que lidaram com um caso como esse. Nunca imaginaram que o líder do ministério de casais jovens um dia "sairia do armário". Não sabiam como agir. Mas foram buscar ajuda. Alguém os ajudou a ver que os conflitos ainda não estavam resolvidos na vida de Cláudio, mas ele havia resolvido assumir sua identidade em Jesus e não rotular-se como homoafetivo. Numa das conversas com o pastor conselheiro, Cláudio mesmo disse: "Eu não estou preparado para assumir essa decisão".

A presença de Jesus na vida de Cláudio era a resposta para o medo e para a vulnerabilidade. Quando os sentimentos homoafetivos atacam, é preciso admiti-los, mas não parar aí. É preciso correr para Jesus. Viver na presença de Cristo implica decidir viver para agradá-lo. Mas agradar Jesus nem sempre é fácil. Por isso, é preciso manter as promessas bíblicas em mente. Por exemplo, lembrar que Jesus disse que estaria conosco todos os dias, em todos os momentos, e que não temos como sair da presença dele. Se ele está presente conosco em todos os lugares e em todos os momentos, como afirma o salmo 139, precisamos nos perguntar:

"O que estou pensando ou o que estou fazendo honra a Jesus?". Cláudio está sendo ensinado pelo líder de sua igreja a viver diariamente na dependência do Senhor. Nos momentos de solidão e nos momentos da saudade do velho estilo de vida, Cláudio ou qualquer pessoa que lide com sentimentos homoafetivos precisa vivenciar essa corrida para Jesus.

O mesmo princípio se aplica à igreja e à família. As dores e as decepções podem voltar, especialmente quando a família vê um filho homoafetivo recair em suas práticas. A família pode recorrer a Jesus, que continua trabalhando na vida do filho e na vida da família. E ele está ali para socorrer, encorajar, continuar o processo de cura de dores e fortalecer a esperança da família.

A família de Rose, cunhada de Cláudio, também foi beneficiada com o processo. O pai de Rose voltou à igreja e pediu reconciliação. Também pediu perdão à esposa, e o casal está em processo de ajuda, sob os cuidados de outro casal da igreja. Eles estão progredindo no processo de se aceitarem novamente como marido e mulher. A própria Rose, que havia se afastado, viu sua fé fortalecida ao ver o cunhado andar novamente com Jesus. A presença de Cristo traz cura e encorajamento. Quando a igreja acolhe os feridos e procura cuidar deles, em vez de julgá-los, a igreja reflete Jesus. E tudo isso é possível simplesmente por causa da presença de Cristo, uma presença que não pode ser esquecida, mesmo quando não é sentida.

A terceira palavra que se aplica fortemente a pessoas com inclinação homoafetiva que estão na igreja é *graça*. Foi a graça de Deus que transformou o suplantador Jacó em um príncipe de Israel (cf. Gn 32.28). Foi a graça do Senhor que transformou o traidor Pedro em um dos maiores cristãos da história. Foi a graça de Deus que fez Abraão esperar 25 anos até ver a promessa de um descendente cumprir-se em sua vida. A graça de Deus nos transforma e faz da nova vida uma carta viva que reflete essa mesma graça para o mundo. Quando aqueles que têm afetos e desejos por pessoas do mesmo sexo se entregam a Deus e aos propósitos

178 Cristão homoafetivo?

dele, uma nova fase de vida se inicia. Deus está escrevendo uma história nessas vidas. Parte dela levará essas pessoas a serem usadas por Deus na vida de outras pessoas. Nas mãos de Deus, aquilo que poderia ser uma história de dor e vergonha pode se tornar uma história de bênçãos para outros.

Ninguém pode perder de vista que, quando a graça de Deus nos alcança, somos feitos instrumentos dele na vida de outros que lidam com os mesmos problemas. Deus quer usar aqueles que ele chama para serem seus filhos — isso inclui os que têm sentimentos homoafetivos — e, sob seus cuidados, viverem de maneira que o honrem. Isso é graça, porque ninguém merece, mas Deus nos dá esse privilégio. Essa esperança não é somente para aquele que tem sentimentos ou desejos homossexuais, mas também para a família e a igreja que os acolhe.

A graça de Deus trabalha, muitas vezes, de modo silencioso e vagaroso aos olhos humanos. Deus é soberano para agir da forma e no tempo que ele quer. Por causa da graça, pessoas que têm atração por outras do mesmo sexo verão aquele espinho na carne que as torna fracas ser o toque de Deus que as fortalece para serem usadas poderosamente na vida de outros. Por causa da graça de Deus, famílias ou pais que se sentiram traídos, machucados ou perdidos por causa das declarações homoafetivas do filho tornam-se pessoas com potencial para ajudar outras famílias nas mesmas circunstâncias. Aquilo que era uma ferida torna-se marca da graça divina na vida da própria pessoa ou da própria família. A graça produz o pão diário de que cada um necessita para atravessar o longo deserto que a descoberta da homoafetividade produz. Mas, nessa caminhada árida, cada um precisa lembrar que o deserto tem um ponto de partida e um ponto de chegada, e que, ao longo da travessia, Deus cria oásis para seus filhos.

Histórias como a de Cláudio se repetem e se multiplicam. Famílias enfrentam diariamente a dor de ver um filho se declarar homoafetivo. Igrejas descobrem que dentro delas estão alguns homossexuais gritando silenciosamente: "Por favor, nos acolham, não precisamos de rejeição!". Em tudo isso, nunca podemos nos esquecer de que Jesus decidiu passar pela cruz simplesmente porque amou pessoas. Ele amou pessoas como a mulher adúltera, o traidor Pedro, o corrupto Zaqueu e quem está preso ao pecado da prática da homoafetividade. Cristo foi à cruz para perdoar todos os pecados daqueles que se chegam a ele, admitem seus pecados e confiam que somente ele tem poder para perdoar pecados e transformar vidas.

O sangue de Jesus é suficiente para obter esse perdão. Por causa do sangue ter sido derramado na cruz também por aqueles que pecam pela homoafetividade, os que têm caído no pecado da prática e dos desejos homossexuais podem ter sua vida transformada. Por causa de Jesus, os pecados são perdoados e o poder para não ser dominado pelo pecado é oferecido. Existe algo mais importante do que saber de onde vem a homoafetividade. O mais importante é saber e crer que, em Jesus, existe vitória sobre o erro.

Pessoas como Cláudio e como a família dele dificilmente imaginam que poderiam passar pelo que passaram. Mas todos eles, ao longo do tempo, descobrem que só Deus é capaz de realizar infinitamente mais do que poderíamos pedir ou imaginar, de acordo com o poder dele que atua na pessoa, na família e na igreja.

Com Deus, podemos superar dores, questionamentos, decepções, desertos e desfrutar uma vida plena. Vivamos essa verdade.

E QUANDO O PASTOR OU LÍDER ADMITE A HOMOAFETIVIDADE?

A homoafetividade entrou na igreja. Isso significa que também existem pastores e líderes que lutam com sentimentos e desejos homoafetivos. Talvez para eles a dor seja ainda mais profunda, se querem andar seriamente com Deus. Alguns ensinaram sobre o tema ou até mesmo chegaram a excluir pessoas da igreja que lideravam por elas terem declarado sentir atração por pessoas do mesmo sexo. Outros até casaram por causa da função pastoral, pois "não ficaria bem para um pastor ficar solteiro". E, no topo das histórias reais, o fato é que muitos pastores e líderes vivem em profunda depressão por causa do conflito interior com a própria sexualidade. Há quem busque no suicídio a solução para seu problema. O fantasma do suicídio como saída ou alívio ronda especialmente os pastores que realmente querem ser sérios com Deus em seu ministério, mas não sabem lidar com os sentimentos homoafetivos.

Em contrapartida, existem os pastores que aderiram ao movimento *gay* e, para alcançar esse grupo, se permitiram adotar uma nova leitura e uma interpretação bíblica distorcida do tema. Nesse contexto, assumem que o mais importante é o amor, e não a exclusão, mas se esquecem de que amar a Deus vem antes de tudo, e isso inclui amar o que Deus ama e confrontar o que Deus não ama. Nosso alvo não é discutir se a hermenêutica de tais pastores está correta ou não, mas, sim, ajudá-los a entender a homoafetividade como temos falado neste livro e a viver de forma pura diante de Deus, apesar de seus conflitos emocionais.

Os momentos de solitude de pastores com sentimentos homoafetivos são carregados de angústia, às vezes de desapontamentos com Deus, de vergonha de si mesmos e da congregação e de medo. Uns vivem cercados pelo fantasma do medo de um dia seus sentimentos e desejos serem descobertos pela congregação. Outros vivem dominados pela ansiedade. Há ainda os que começam a fantasiar uma morte prematura ou a saída do ministério, por se acharem inadequados ou impuros para o que fazem.

O pastor prega à igreja sobre a graça restauradora de Jesus, mas não prega para si o mesmo sermão. E deveria. A mesma graça que toca o coração dos membros da igreja precisa tocar o coração do líder e do pastor. Não é porque alguém lidera uma igreja que está isento do problema ou não tem como lidar com a questão pelo viés da graça acolhedora de Deus. Assim, algumas atitudes pastorais precisam ser aplicadas ao próprio pastor e depois, se necessário, o pastor deve empenhar-se em conversar com a esposa e com os demais líderes da igreja. Mas o ambiente em que ele precisa buscar ajuda é sempre o da verdade bíblica, da graça e da esperança que Jesus oferece.

Cedo ou tarde o pastor com tendências homoafetivas precisa perguntar a si mesmo: "Tenho apenas sentimentos ou vivo realmente desejoso de praticar atos homossexuais?". Responder a essas perguntas é de grande ajuda, pois mostra o começo do enfrentamento do problema. Mas outro passo necessita ser dado. O pastor precisa de coragem para compartilhar aquilo que sente. Mas... compartilhar com quem? Com a esposa, um colega, um presbítero da igreja? E os riscos envolvidos? E se o exonerarem do pastorado, como ele sustentará a família? E se ele está convicto de um chamado divino para sua vida e luta com sentimentos

E quando o pastor ou líder admite a homoafetividade? **183**

homoafetivos? Como conciliar o que ele sente com o que a Bíblia diz sem distorcer o ensino bíblico sobre o assunto?

Essa carga é muito pesada para o pastor carregar sozinho. Assim como muitas vezes ele encorajou sua congregação a carregar as cargas uns dos outros, chegou a hora de ele falar para si mesmo a mensagem: "Preciso compartilhar com alguém o que sinto; não posso esperar mais". É quando entra em cena novamente o conceito de igreja samaritana, aquela que está atenta a quem sofre. Toda igreja deveria ter entre seus líderes uma espécie de grupo de apoio para cada pastor. Esse grupo teria como alvo desenvolver relacionamento interpessoal dos membros, promovendo mútua aceitação, transparência e honestidade na jornada com Cristo. É com um grupo desse que pastores deveriam ter a liberdade de abrir o coração sobre aquilo que lhes aperta a alma, em qualquer área da vida.

Mas nem sempre ou nem todo pastor tem um grupo como esse. No entanto, para lidar com a angústia e o sentimento de culpa, precisa haver um passo de fé. É importante que esse pastor encontre alguém maduro em Cristo que seja capaz de ouvi-lo, alguém com quem ele possa falar do que sente e de suas lutas. Não existe sucesso sem que se dê esse passo. Nessa conversa, a transparência é totalmente necessária, para o próprio pastor lidar com sua culpa — especialmente se ele vive dominado por desejos homoafetivos. A confissão trará perdão, restauração e abrirá o caminho para uma vida interior livre e cheia de esperança em Jesus.

A admissão de sua vulnerabilidade perante um grupo de homens sérios com Deus certamente produzirá união e, ao mesmo tempo, um sentimento de guarda na vida dos outros, no sentido de que cada um também é tão vulnerável quanto o pastor e, por isso, precisa se guardar contra qualquer atitude que o leve a pecar.

Essa conversa não pode ocorrer uma única vez, mas será parte de um processo de encorajamento necessário para que o pastor viva de acordo com aquilo que ele tem pregado. Depois que resolver abrir o coração a um colega ou a um líder maduro no qual ele confie, um processo de acompanhamento precisa ser criado para esse pastor. Se ele nutre apenas sentimentos homoafetivos esporádicos, pode ser que a conversa fique restrita a uma única pessoa, que o ouça e o acompanhe, não em um processo de policiamento, mas de ajuda, apoio e cuidado. Mas se, além de sentimentos, o pastor vive fantasiando com pessoas do mesmo sexo e mesmo insinuando-se para elas, algo mais profundo precisa ser feito. Nessas conversas alguns passos precisam ser discutidos.

Por exemplo, é crucial conversar sobre quem mais deveria saber e como. Com certeza, abrir com a liderança sênior da igreja é uma proteção para o pastor. Ou mesmo com alguns dessa liderança. É importante o pastor expressar-se e o grupo perguntar e ouvir. Ele tem apenas sentimentos homoafetivos? Ele vive fantasiando e desejando quase continuamente experiências sexuais com outro homem? Ele já teve relações sexuais com outro homem enquanto exercia o ministério pastoral? Todas essas perguntas precisam ser tratadas dentro da ideia: "O que significa exatamente eu dizer que sou um homoafetivo?".

Depois de entender o que o pastor está querendo dizer, ele e o grupo precisam tomar algumas decisões. Se existe pecado, precisa ser confessado e tratado. É importante que, no caso de um pecado de relações sexuais ilícitas, a liderança da igreja seja envolvida para resolver como tratar. Excluir o pastor sem o tratar é o caminho mais fácil. Se ele quer ajuda, a liderança da igreja precisa prover, como faria para um membro da igreja na mesma situação. Será de suma importância discutir, caso tenha havido práticas sexuais com pessoas do mesmo sexo, como isso será tratado perante a igreja.

Tratar de um pecado moral do líder da igreja, especialmente no caso de homoafetividade, não é das tarefas mais fáceis para qualquer liderança eclesiástica. Sob oração e sigilo, é preciso discutir sobre como essa situação afetará a igreja, a comunidade e a família do pastor. Textos como Mateus 18.15-17 e 1 Timóteo 5.20-21 devem ser discutidos sabiamente e na dependência de

Deus. Se o pastor se arrependeu do pecado, ele precisa ser disciplinado publicamente? Como ele pode ser restaurado, se ele assim o desejar? Ele deve ficar fora da posição pastoral por algum tempo ou mesmo deixar o cargo naquela igreja? Se assim for, como isso será feito? Que tipo de ajuda lhe será oferecida? Não existe uma regra fixa sobre como lidar com um pecado se ele se estendeu ao aspecto físico do problema, mas há o princípio da disciplina que visa à restauração, e não à destruição. O foco deve definir o tipo de tratamento a ser aplicado para que a igreja continue sadia e o pastor venha a ser restaurado.

Outra discussão profundamente necessária é como o pastor levará o assunto à sua esposa e família. Ser descoberto é dolorido. Abrir o coração também será dolorido. Mas, das dores, a menor ocorre quando o pastor abre o coração. Para a esposa, se existe da parte do marido apenas sentimentos e desejos homoafetivos, é uma coisa. Se houve relações homossexuais, a dor se torna maior. Como em casos de adultério heterossexual, a esposa passa naturalmente por algumas fases. Vem o choque, a negação, a ira e, mais tarde, as conversas de resolução. Mas a mulher não pode trazer para si a falsa culpa ou mesmo imaginar que, se ela fosse uma esposa melhor, o marido não teria o problema. Os sentimentos homoafetivos do marido não são culpa dela; trata-se de algo dele, e as causas são diversas. Ajuda e apoio pastoral, emocional e terapêutico também precisam ser oferecidos à esposa.

Como em um caso de adultério do marido com outra mulher, a esposa também levará tempo para recompor-se e mesmo decidir se continua ou não com o casamento. Se houve traição física, ela tem o direito de divorciar-se, mas nada deve acontecer às pressas. Claro que existe lugar para o perdão, mas perdoar é uma decisão fortalecida em um processo. Marido e esposa precisarão do apoio da igreja e de sua liderança para atravessar esse deserto de forma realista, mas sem serem considerados anátema ou uma vergonha para a igreja. Também não precisam ser expostos à igreja.

A igreja samaritana tratará o pastor que quer ajuda da forma que Jesus trataria: o erro é confrontado e o suporte, oferecido. O cuidado da liderança com a família do pastor precisa ser de diversos tipos: apoio espiritual, emocional e, inclusive, financeiro, pois, no caso de ser necessário o pastor ser dispensado, ele vai precisar de sustento até encontrar outro trabalho para sustentar a família. A ira e a frustração causadas pelo pastor que pecou não podem influenciar negativamente o processo de ajuda de que ele pode precisar para uma restauração.

No entanto, se ele persiste no erro e não deseja mudar, a igreja pode tomar outra direção sobre como tratá-lo. Aquele que deseja ajuda, mesmo que tenha adulterado, não precisa ser expulso da igreja; a graça deve ser oferecida e medidas de restauração aplicadas. Um dia ele pode voltar ao ministério, pois, assim como Davi foi perdoado e restaurado, o pastor que caiu em pecados sexuais também pode ser restaurado no devido tempo e pelo devido processo.

Caso as questões homoafetivas do pastor tenham sido apenas na área de sentimentos, o cuidado com ele precisa ser o mesmo que ao longo do livro sugerimos. Em vez de viver com culpa, ele tem de recorrer a Jesus a cada dia, especialmente quando for assaltado por sentimentos homossexuais. Ter um ou dois homens com os quais ele converse regularmente sobre suas lutas é crucial. Esses são seus parceiros de oração e aqueles a quem ele prestará contas, para o bem dele, da família e da igreja. Com certeza, a ajuda de um terapeuta será crucial. O perigo de uma depressão é adjacente, sem falar de possível tentativa de suicídio. Por isso, um psiquiatra deve fazer parte do grupo de ajuda. No caso de o pastor desejar realmente continuar servindo a Jesus de forma séria, ele precisa ser continuamente honesto. Práticas simples sobre como cuidar da mente, lugares a evitar, o que ler ou o que ver devem ser discutidas com o grupo, entre outros temas.

No contexto familiar, o pastor precisa realmente viver da graça, ao mesmo tempo que passa a repartir com a esposa as suas lutas. Mas leva tempo para reconstruir a confiança, até que a esposa possa compreender o marido e aceitá-lo, a despeito de suas lutas homoafetivas.

Essa aceitação e decisão de continuar casados é uma processo longo, que deve ser seguido amorosamente com o apoio e a oração da liderança da igreja. Caso marido e mulher decidam separar-se, também é algo com que a igreja precisa lidar. O processo que envolve essa decisão também é longo, pois é o tipo de revelação que penetra no mais profundo do ser do outro cônjuge, que precisa de tempo de cura e reconstrução. Não se deve esperar uma solução rápida para a questão matrimonial. A raiva do cônjuge heterossexual pode voltar e sentimentos de rejeição terão idas e vindas. Mas o casal pode lembrar que, na dependência do Espírito Santo, tanto os sentimentos homoafetivos de um cônjuge quanto a raiva e as dúvidas da parte do outro devem ser submetidos a Cristo. Com isso, o casal viverá na área sexual como Deus instrui na Palavra, não como uma obrigação, mas como expressão de liberdade em Cristo. Pensando no contexto ministerial, o casal que passa por um processo como esse e enfrenta a situação na dependência de Deus experimentará cura, reerguimento e ministrará de forma diferente a partir de então. Também na vida do pastor e do casal as feridas se tornarão nas mãos de Jesus meios de cura para outros que passarão pelo mesmo problema (cf. 2Co 1.1-4).

Em resumo: o pastor com inclinações homoafetivas precisa de um grupo de apoio, que seja maduro o suficiente para saber que as lutas dele não o definem — o que o define é quem ele é em Cristo. E o Cristo que um dia o chamou o capacitará para viver com seu espinho na carne. Quando ele for fraco, aí que será forte para continuar ministrando na dependência do Espírito, mantendo-se puro perante Deus, ele mesmo, a igreja e a família.

PERGUNTAS FREQUENTES

As perguntas abaixo são um resumo de diferentes questionamentos que pastores e líderes ouvem com frequência a respeito do tema deste livro. Em nenhum momento este autor deseja oferecer respostas definitivas e estanques. Elas se propõem apenas a servir de norte para discussões mais aprofundadas de indivíduos, grupos ou da igreja local.

Como falar com o cônjuge quando a pessoa tem sentimentos ou desejos homoafetivos?
Contar trará dores para o cônjuge. Doerá mais do que se fosse adultério. Mas é melhor contar que ser descoberto. É uma decisão que precisa ser feita perante Deus para poder ser honesto, direto e claro. Se o cônjuge com sentimentos homoafetivos já teve relações sexuais com outra pessoa do mesmo sexo, isso precisa ser dito. Ao confessar o pecado, tem início o processo de cura e controle (cf. Tg 5.16). O cônjuge que confessou precisa preparar-se para entender a reação do outro. Haverá um processo no qual choque, raiva, rejeição, depressão e resolução serão parte da situação.

Uma confissão como essa nunca deveria acontecer sem a ajuda de um líder espiritual experiente e piedoso. Porque, depois da

190 Cristão homoafetivo?

confissão, vem a necessidade de apoio para o casal. Esse processo leva tempo. Se o casal decidir divorciar-se, o processo se dará de forma ainda mais profunda. Nenhuma decisão deveria ser tomada precipitadamente ou sem a ajuda de conselheiros cristão firmes, amorosos e graciosos. Tempo é necessário para entender a confissão, expressar frustração e raiva e oferecer perdão. Ao vivenciar o processo, marido e mulher haverão de recorrer a Jesus, cuja presença e graça os capacitarão para atravessar essa trilha desértica.

Como alguém deve lidar com a declaração do cônjuge que se diz homoafetivo?
Primeiro, depois do choque da confissão, o cônjuge heterossexual precisa perguntar ao outro o que ele quer dizer ao fazer tal confissão. A confissão significa "tenho sentimentos homoafetivos", "tenho desejos homoafetivos" ou "estou vivendo a prática da homoafetividade"? Quem ouviu a confissão precisa dar-se tempo para processar o que ouviu. Nesse meio-tempo, o casal deve pedir ajuda, seja a um conselheiro, seja a um pastor, seja um terapeuta.

A decisão de continuar ou não o casamento é delicada. Apesar de toda a dor, ambos precisam olhar um para o outro com compaixão. A não ser que a parte homoafetiva resolva viver realmente sua sexualidade com alguém do mesmo sexo, o casamento deve continuar. É preciso dar tempo com vistas à compreensão de si mesmo, do outro e do que Deus pode estar querendo fazer na vida desse casal. Divórcio pode ser um caminho? Sim, especialmente se houve relações sexuais ilícitas. Mas, antes do divórcio, existe sempre a possibilidade do perdão e da reconstrução. O importante é que o casal não ande sozinho no processo. Isso é fundamental.

O homoafetivo vai para o inferno?
Ninguém vai para o inferno porque tem inclinações homoafetivas, da mesma forma que ninguém vai para o céu porque é heterossexual.

Esse é um conceito advindo de ambientes legalistas, que costumam classificar tipos de pecado como piores e mais horrendos ou menos horrendos. De fato, existem pecados de diferentes consequências e de diferentes naturezas. Em Romanos 1, o apóstolo Paulo afirma que a prática da homoafetividade é contra a natureza com a qual Deus criou o homem e a mulher. O homoafetivo, o heterossexual, o adúltero ou o ladrão precisam se arrepender e crer em Jesus como o único que tem poder para perdoar seus pecados. O céu estará povoado de pessoas que um dia viveram na prática do roubo, do adultério, da prostituição, das relações sexuais homoafetivas, da mentira e tantas outras que ferem a santidade de Deus. Eles estarão lá não por causa do que foram, mas porque, ao crerem em Jesus como seu Senhor e Salvador, tiveram seus pecados perdoados e a culpa removida. Jesus morreu por todos, e todos os que creem nele têm seus pecados perdoados.

Como tratar meus amigos que se definem como homossexuais?
Todo amigo ou conhecido é o próximo (cf. Mt 22). Homoafetividade não é doença, e muito menos doença contagiosa. O homoafetivo é um ser humano que também carrega em si a imagem de Deus. Jesus também morreu por ele. Devo acolher em meu círculo de relacionamento quem quer que seja.

O mundo hoje fala muito da diversidade. Se quero refletir Jesus no mundo onde vivo, preciso acolher todos, sem ser preconceituoso. Assim, tratar o homoafetivo ou o diferente de mim de forma amorosa e ter disposição para servi-lo refletirá a pessoa de Jesus. Amar e servir ao próximo não significa ser conivente com o erro dele.

Quando convidado, devo ir a uma cerimônia de casamento de *gays*?
Nossos amigos precisam saber em que cremos e quais são os nossos valores. Se temos amigos homoafetivos, eles precisam ouvir sobre o que cremos a respeito de casamento. Isso precisa ser comunicado não de uma forma "de cima para baixo", mas de modo informal, quando necessário. Se os amigos sabem em que

192 Cristão homoafetivo?

cremos, ao ir a um casamento de homoafetivos necessariamente não quer dizer que apoiamos o que está sendo feito. Mas significa que prezamos aquela amizade. Os que estão se unindo precisam ouvir esse conceito, de forma amorosa. Se, ainda assim, o convite continua de pé, não há problema em ir àquela cerimônia, pois isso não significa concordância ou conivência com o que ali está ocorrendo. Essa, porém, é uma decisão de foro íntimo.

Como uma igreja disciplina um homoafetivo?

Da mesma forma que disciplina um heterossexual. O grande desafio da igreja local nesse contexto é saber o que ela está disciplinando. Se alguém admite sentimentos homoafetivos, isso em si mesmo não é pecado se não levar à prática homoafetiva. Mas, se alguém que se diz seguidor de Jesus vive tendo relações sexuais com pessoas do mesmo sexo, depois de advertido, amorosamente, uma ou duas vezes, e continua no mesmo caminho, o processo de disciplina de Mateus 18 precisa ser aplicado.

A igreja, no entanto, precisa ser cuidadosa em qualquer caso de disciplina. Ela não pode ser uma igreja intolerante ou leniente com o pecado. Todo processo de disciplina implica permear todos com amor, firmeza e graça, pois o alvo da disciplina é a restauração, e não a exclusão, embora essa possa vir a acontecer.

O que significa realmente ser *gay*?

Gay é um termo utilizado genericamente; é um rótulo que nem sempre é usado apropriadamente. Costuma-se dizer que *gay* é todo aquele que sente atração por pessoas do mesmo sexo. Essa é uma descrição muito genérica, pois, como vimos neste livro, existem pessoas que sentem atração por gente do mesmo sexo e não dá vazão a essa atração, por várias razões. Pode ser pelo entendimento bíblico de que esse não é o estilo de vida que Deus tem para elas ou mesmo porque a atração é passageira ou esporádica. Em contrapartida, alguns sentem atração, têm profundo desejo de relacionar-se afetiva e sexualmente com pessoas do mesmo sexo e vivenciam essa atração de forma física. Além disso, adotam um estilo de vida no qual apregoam que foi Deus quem os fez assim e que, se viver sexualmente com pessoas do mesmo sexo traz felicidade, então é algo normal.

Pode um homoafetivo ser líder de uma igreja?

Podemos começar a responder isso fazendo outras perguntas: "Pode uma pessoa nitidamente orgulhosa ser líder de uma igreja?", "Pode uma pessoa arrogante ser líder de uma igreja?", "Pode uma pessoa soberba ser líder de uma igreja?" e "Pode uma pessoa que desonra pai e mãe ser líder de uma igreja?". O desafio da igreja é estar constantemente desafiando seus líderes a deixar Deus sondar seu coração, a fim de que os pecados sejam tratados de forma que o Espírito Santo tenha liberdade de agir naquela igreja a começar da própria liderança.

Se uma pessoa vive na prática do pecado da homoafetividade, claro que não pode estar na liderança de uma igreja, como não poderia se vivesse na prática do adultério heterossexual. Embora os pecados tenham consequências diferentes para quem os pratica e para as pessoas ligadas a quem pecou, o princípio crucial para ser líder de uma igreja é ter uma vida que reflita Jesus. Se a vida desse líder reflete Jesus, mesmo sendo assaltado por fantasias sexuais com pessoas do mesmo sexo, sempre terá esses pensamentos sob o jugo de Jesus e nele encontrará o escape para viver de forma santa e dedicada a Deus.

Existe lugar para as igrejas voltadas para *gays*, as chamadas "igrejas inclusivas"?

Toda igreja para ser sadia precisa estar centrada nas boas-novas do Senhor Jesus Cristo. O evangelho é o poder de Deus para transformar pessoas. Se uma igreja acolhe quem quer que seja, ela já reflete Jesus. Mas isso não é tudo. Se a igreja acolhe corruptos, mentirosos, invejosos, iracundos e cobiçosos, mas não os desafia a viver de acordo com as boas-novas de Cristo, ela está sendo

194 Cristão homoafetivo?

apenas um bom lugar onde estar, e não uma igreja que proclama a transformação de vida que Jesus oferece.

Portanto, se uma igreja para homoafetivos não desafia a pessoa para uma vida casta e não ensina que o casamento foi criado por Deus para ocorrer exclusivamente entre homem e mulher, ela não está sendo construída sobre o evangelho de Jesus. Se, como igreja, ela apenas ama, mas não desafia a uma vida de santidade de acordo com as Escrituras, inclusive na área da sexualidade, vira apenas um local de encontros, sem ser um local onde se prega a necessidade de viver em santidade.

A igreja local não pode ser um agente de perseguição da comunidade *gay*; ela precisa acolher quem quer que seja, e com isso mostrar como se pode ter uma nova vida em Cristo. Se a igreja foi criada para acolher *gays*, tem um grande desafio. Mas, nesse desafio, a submissão a Jesus e à sua vontade precisa ser ensinada, de modo que aqueles que se rotulam *gays* possam ter um encontro transformador com o Senhor. Como fruto desse encontro, necessariamente devem adotar a identidade de filhos de Deus, com todas as suas implicações — e não uma identidade homoafetiva, que segue a agenda do movimento LGBT.

Existe a "cura *gay*"?

Essa é uma pergunta delicada. Existem estudos que mostram pessoas que se diziam homoafetivas e abraçaram a heterossexualidade. Segundo esses estudos, alguns nunca voltaram às antigas práticas. Isso não quer dizer necessariamente que nunca mais sentiram desejos homoafetivos ou nunca mais fantasiaram relações com pessoas do mesmo sexo.

Do ponto de vista bíblico, é possível e real alguém que resolve viver para Cristo e na dependência dele ter seus impulsos e sentimentos controlados pelo poder do Espírito Santo. Assim, essa pessoa experimentará menos e menos a pressão da homoafetividade.

Estudos também mostram que o cérebro é influenciado pelo comportamento, o que se relaciona muito de perto com a doutrina da santificação. Quanto mais dependemos de Deus para viver como ele quer, mais passamos a gostar do que ele gosta e a praticar menos o que ele não aprova. Se isso é verdade — e é verdade —, uma pessoa que apresenta tendências homoafetivas e procura viver na dependência de Deus poderá ter sua homoafetividade sob o controle do Espírito Santo. Isso não implica que houve uma "cura *gay*", mas que a pessoa poderá experimentar uma vida de vitória no que se refere à homoafetividade.

Somos ensinados na oração do Pai-nosso a pedir a Deus: "E não nos deixes cair em tentação, mas livra-nos do mal" (Mt 6.13). Uma oração associada a uma completa dependência pode levar ao sucesso sobre pensamentos e práticas homoafetivas, pois essa é uma oração que se aplica a todas as áreas da vida daquele que quer seguir Jesus.

Se Jesus nunca falou sobre a homoafetividade, será que ela não pode deixar de ser considerada pecaminosa?
Jesus nunca falou literalmente contra o aborto, mas não há dúvida de que ele condena essa prática. Quando falou sobre casamento, Jesus reafirmou que o plano original de Deus era e sempre será entre um homem e uma mulher. Ele ressaltou que se trata de uma relação entre pessoas de dois sexos, que se complementam no contexto do matrimônio. Da mesma forma, Jesus validou os escritos do Antigo Testamento no Novo Testamento, no que diz respeito às leis morais.

Portanto, mesmo que o Senhor nunca tenha dito algo como "não terás relações sexuais com pessoas do mesmo sexo", ele deixou claro qual é sua vontade para as relações matrimoniais: sempre entre pessoas de sexo diferente.

NOTAS

Capítulo 1

[1] O autor de Gênesis descreve a mulher como aquela que *ajuda* e *completa*. Essas são duas palavras diferentes, mas que necessariamente não carregam um significado de uma mais outra ou uma mais forte do que a outra. Elas apontam o sentido único de uma pessoa de que ele, Adão, precisava. Ao ser ajudadora (*ezer*), Eva foi criada para socorrer Adão e lhe prestar assistência. Essa palavra é usada também em relação a Deus, como aquele que socorre e presta assistência, tanto no aspecto físico quanto no material e espiritual. Ao descrever Eva como aquela que completa, não existe uma diminuição do valor da mulher, muito pelo contrário. Ao ser alguém que completa (*neged*) Adão, Eva está ali para ser ajudadora e suprir suas necessidades. Um homem, por ser igual a outro homem, não tem essa habilidade para socorrer ou perceber a necessidade de um igual a ele. Ver R. Laird Harris, Bruce K. Waltke e Gleason L. Archer Jr., *Theological Wordbook of the Old Testament*. Chicago: Moody Press, 1980, p. 549.

[2] O que acontece em Sodoma, conforme verificado em Gênesis 19, é a explicação do que Deus já havia manifestado em Gênesis 13.

198   Cristão homoafetivo?

[3] O relato do ataque sexual em Juízes 19 aponta também para um fato horrendo na história de Israel e do mundo em geral. Não se podia aceitar um ataque homoafetivo no contexto de hospitalidade sadia, mas podia-se aceitar o estupro heterossexual, como foi sugerido por Ló no relato de Gênesis e pelo dono da casa em Juízes 19. Deus rejeita tanto a homoafetividade como a falta de cuidado e respeito com a mulher, o estrangeiro, o órfão, a viúva. Mas isso só acentua a relação da imoralidade sexual com a violência, seja ela física, seja emocional.

[4] O substantivo em hebraico *toebah* significa algo detestável, repulsivo, que causa afastamento. É abominação. Nos relacionamentos, é aquilo que se torna ofensivo. A Bíblia usa esse adjetivo para se referir, também, à idolatria.

[5] Vale a pena estudar o material escrito por David Bienert, "A descontinuidade e a continuidade da Lei mosaica na vida do cristão", *Vox Scripturae*. São Paulo, dezembro de 1997, v. VII, n. 2, p. 29-50.

[6] Robert Gagnon, *The Bible and Homosexual Practice*. Nashville: Abingdon Press, 2001, p. 147.

[7] Idem, p. 148.

[8] Uma excelente discussão de Romanos 1.18-27 com foco na questão do comportamento contrário à natureza pode ser encontrada em James DeYoung. "The Meaning of 'Nature' in Romans 1 and Its Implications for Proscriptions of Homosexual Behavior", *Journal of Evangelical Theological Society*, dezembro de 1988, p. 429-441.

[9] Robert Gagnon, *The Bible and Homosexual Practice*. Nashville: Abingdon Press, 2001, p. 308.

[10] Idem, p. 310. Ver uma ampla discussão da palavra *malaikos* nas páginas 306-312 da mesma obra.

Capítulo 2

[1] Esta questão de definição de sexo pela genitália nos leva a outro campo: a questão de gênero, que não é o foco deste livro. Embora de certa forma essa questão lide com a homoafetividade, torna-se outro campo de estudo, para o qual também precisamos de uma abordagem bíblica permeada pela graça.

[2] Não é propósito deste livro entrar na discussão ou na explanação das possíveis causas da homoafetividade. Para uma discussão completa deste tema, recomendamos a leitura do livro de Robert Gagnon *The Bible and Homosexual Practice*.

Capítulo 4

[1] Joe Dallas, *Desires in Conflict*. Eugene: Harvest House Publishers, 1991, p. 120.

[2] Simon LeVay, "A Difference in Hypothalamic Structure between Heterosexual and Homosexual Men", *Science*, August 30, 1991, p. 1034-1037.

[3] Heather Looy, "Born Gay? A Critical Review of Biological Research on Homosexuality", *Journal of Psychology and Christianity*, v. 12, 1995, p. 197-214.

[4] S. L. Jones e D. E. Workman, "Homosexuality: The Behavioral Sciences and the Church", *Journal of Psychology and Theology*, v. 17, 1989, p. 221.

[5] Disponível em: <https://www.lifesitenews.com/news/homose xuality-is-not-hardwired-concludes-head-of-the-human-geno me-project>. Acesso em: 27 de ago. de 2016. Francis Collins é

o diretor do Instituto Nacional de Saúde (NIH), órgão do governo americano situado em Bethesda.

[6] Sherwood O. Cole, "Biology, Homosexuality, and Moral Culpability", *Bibliotheca Sacra*, 154-615, July 1997, p. 2.

[7] Glenn Stanton trata destes níveis citando Mark Yarhouse e Stanton Jones em seu livro *Loving My (LGBT) Neighbor*. Chicago: Moody Publishers, 2014, p. 44-48.

[8] Em um pesquisa realizada entre psicoanalistas, Houston MacIntosh menciona que 276 dentre os 1.267 entrevistados que passaram por um processo psicoanalítico declararam uma reorientação heterossexual (Houston MacIntosh, "Attitudes and Experiences of Psychoanalysts in Analyzing Homosexual Patients", *Journal of the American Psychoanalytic Association*, v. 4, 1993, p. 1183-1205).

[9] Christopher Townsend, "Papers Towards a Biblical Mind", "Homosexuality: Finding the Way of Truth and Love". Disponível em: <http://www.jubilee-centre.org/homosexuality-finding-the-way-of-truth-and-love-by-christopher-townsend/>. Acesso em: 22 de ago. de 2016.

[10] P. 85-89.

[11] Gerard Van Deen Aardweg, citado por Yarhouse no livro *Homosexuality: The Use of Scientific Research in the Church's Moral Debate* (cap. 3). No mesmo capítulo, Yarhouse cita outro estudo por Hammersmith, para o qual ele entrevistou 1.500 homossexuais e encontrou neles traços da influência de mães superprotetoras e ansiosas pelo bem-estar de seus filhos, mas sem uma comprovação científica aceitável de que a forte presença da mãe e a presença passiva do pai determinaram a homoafetividade do filho (cf. Alan P. Bell, Martin Weinberg e Sue Hammersmith,

Sexual Preference: Its Development in Men and Women. Bloomington: University Press, 1981).

[12] Uma ampla discussão sobre as possíveis causas da homoafetividade é apresentada por Stanton Jones e Mark Yarhouse no capítulo 3 do livro *Homosexuality: The Use of Scientific Research in the Church's Moral Debate.*

Capítulo 5

[1] Barbara Johnson, citada por Anita Worthen no artigo "When a Loved One Says, 'I Am Gay'", enxerto do livro *Someone I Love Is Gay: How Family & Friends Can Respond.* Downers Grove: InterVarsity Press, 1996. Disponível em: <http://www.exodus globalalliance.org/whenalovedonesaysiamgayp28.php>. Acesso em: 10 de set. de 2016.

Capítulo 6

[1] Preston Sprinkle e Wesley Hills, *People to Be Loved: Why Homosexuality Is Not Just an Issue.* Grand Rapids: Zondervan, 2010, p. 9.

[2] Church by the Glades, em Coral Springs, EUA. A expressão em inglês é "Not Perfected People Allowed".

[3] Mark Yarhouse, *Homosexulity and the Christian.* Minneapolis: Bethany House Publishers, 2010, p. 165.

[4] Carlos Osvaldo Cardoso Pinto e Luiz Sayão, "A questão do homossexualismo", *Vox Scripturae.* São Paulo: Aetal, v. 5, n. 1, março de 1995, p. 67.

REFERÊNCIAS BIBLIOGRÁFICAS

BERGNER, Mario, *Setting Love in Order: Hope and Healing for the Homosexual*. Grand Rapids: Baker Books, 1998.

BIENERT, David, "A descontinuidade e a continuidade da Lei mosaica na vida do cristão: uma perspectiva paulina", *Vox Scripturae*. São Paulo: Aetal, v. VII, n. 2, dezembro de 1997.

BOTTKE, Allison, *Setting Boundaries with Your Adult Children*. Eugene: Harvest House Publishers, 2008.

BOTTERWECK, G. Johannes, RINGGREN, Helmer e FABRY, Heinz--Josef (eds.), *Theological Dictionary of the Old Testament*. Grand Rapids: Wm. B. Eerdmans Publishing Co., 1988.

BROWN, Francis, DRIVER, Samuel Rolles e BRIGGS, Charles August, *Enhanced Brown-Driver-Briggs, Hebrew and English Lexicon*. Logos Bible Software, 2000.

COLE, Sherwood O., "Biology, Homosexuality, and Moral Culpability", *Bibliotheca Sacra*, 1997.

DALLAS, Joe, *Desires in Conflict: Hope for Men Who Struggle with Sexual Identity*. Eugene: Harvest House Publishers, 1991.

DANKER, Frederick William e BAUER, Walter. *A Greek-English Lexicon of the New Testament and Other Early Christian Literature*. Chicago: University of Chicago Press, 2000.

DEYOUNG, James, "The Meaning of 'Nature' in Romans 1 and Its Implications for Proscriptions of Homosexual Behavior", *Journal of Evangelical Theological Society*, 1988.

ELLINGTON, John e OMANSON, Roger, *A Handbook on I and II Kings*. Logos Bible Software, 2000.

GAGNON, Robert A. J., *The Bible and Homosexual Practice: Texts and Hermeneutics*. Nashville: Abingdon Press, 2001.

HARRIS, Robert, ARCHER JR., Gleason L. e WALTKE, Bruce K., *Theological Wordbook of the Old Testament*. Chicago: Moody Press, 1980.

JOHNSTON, Jeff, "Are People Born Gay? A Look at What the Research Shows and What it Means for You". Disponível em: <http://www.focusonthefamily.com/socialissues/sexuality/understanding-same-sex-attractions/are-people-born-gay>. Acesso em: 10 de abr. de 2017.

JONES, Stanton L. e YARHOUSE, Mark A., *Homosexuality: The Use of Scientific Research in Church's Moral Debate*. Downers Grove: InterVarsity Press, 2000.

KIRST, Nelson (ed). *Dicionário hebraico-português* e *aramaico-português*. São Leopoldo: Editora Vozes, 2004.

Kittel, Gerhard, Bromiley, Geoffrey William e Friedrich, Gerhard, *The Theological Dictionary of the New Testament.* Grand Rapids: Eerdmans, 1976.

Lenski, Richard, *The Interpretation of Saint Paul's First and Second Epistles to the Corinthians.* Logos Bible Software, 2000.

Lopes, Augustus Nicodemus, "Um engano chamado 'teologia *gay*'", *Cristianismo Hoje*, 4 de jul. de 2013. Disponível em: <http://www.cristianismohoje.com.br/materias/comportamento/pratica-da-homossexualidade-contraria-doutrina-biblica-e-e-incompativel-com-a-fe-crista>. Acesso em: 10 de abr. de 2017.

Mangum, Douglas et. al., *Lexham Theological Wordbook.* Bellingham: Lexham Press, 1988.

Mohler Jr., R. Albert, *We Cannot Be Silent.* Nashville: Thomas Nelson Publishers, 2015.

Paulk, John, *Not Afraid to Change.* Mukilteo: WinePress Publishing, 1998.

Payne, Leanne, *The Broken Image: Restoring Personal Wholeness through Healing Prayer.* Grand Rapids: Baker Books, 1996.

_____. *The Healing of the Homosexual.* Wheaton: Crossway Books, 1992.

Pinto, Carlos Osvaldo e Sayão, Luiz Alberto T., "A questão do homossexualismo",. *Vox Scripturae.* São Paulo: Aetal, v. 5, n. 1, março de 1995.

Presbitério da Igreja Batista do Morumbi, *Isto cremos: Sexualidade.* Texto posicional da Igreja Batista do Morumbi sobre sexualidade. Abril de 2015.

SPRINKLE, Preston e HILL, Wesley, *People to Be Loved: Why Homosexuality Is Not Just an Issue.* Grand Rapids: Zondervan, 2010.

STANTON, Glenn T., *Loving My (LGBT) Neighbor: Being Friends in Grace and Truth.* Chicago: Moody Publishers, 2014.

SWANSON, James, *Dictionary of Biblical Languages with Semantic Domains: Greek New Testament.* Logos Research System, 1998.

_____. *Dictionary of Biblical Languages with Semantic Domains: Hebrew Old Testament.* Logos Research System, 1997.

WESTERMANN, Claus, *Westermann, A Continental Commentary on Genesis 1-11.* Minneapolis: Fortress Press, 1994.

YARHOUSE, Mark A., *Homosexuality and the Christian: A Guide for Parents, Pastors, and Friends.* Minneapolis: Bethany House Publishers, 2010.

SOBRE O AUTOR

Lisânias Moura é pastor sênior da Igreja Batista do Morumbi, em São Paulo (SP) desde 2004. É responsável pelo desenvolvimento da visão da igreja, pela pregação e pela liderança do presbitério, além do exercício pessoal do ministério pastoral. É bacharel em Ministério Pastoral e Mestre em Teologia pelo Seminário Teológico de Dallas (EUA). Antes de assumir seu ministério na Igreja Batista do Morumbi, Lisânias foi professor por quatorze anos do Seminário Bíblico Palavra da Vida. É casado com Teca e pai de Daniel e Rafael.

Compartilhe suas impressões de leitura escrevendo para:
opiniao-do-leitor@mundocristao.com.br
Acesse nosso *site*: www.mundocristao.com.br

Equipe MC:	Maurício Zágari (editor)
	Heda Lopes
	Natália Custódio
Diagramação:	Triall Editorial
Revisão:	Josemar de Souza Pinto
Gráfica:	Assahi
Fonte:	Adobe Garamond Pro
Papel:	Pólen Soft 70 g/m² (miolo)
	Cartão 250 g/m² (capa)